U0095044

大師私淑坊

白蕉讲授书法

王家新　编选　导读

上海书画出版社

私淑传统与大师风标（代序）

王立翔

私淑一词，最早见于《孟子·离娄下》："予未得为孔子徒也，予私淑诸人也。"东汉赵岐章句曰："淑，善也。我私善之于贤人耳，盖恨其不得学于大圣也。"孟子与孔子前后相距百余年，自然是不能"为孔子徒"的，故而赵岐之注将孟子言语中因未能亲炙受教而无限抱憾的隐意准确地揭示了出来。从此，"私淑"一词就为后人袭用，并潜藏下两个基本要义：一是学习者未能受业但仍尊之为师，二是潜心研习、学有所成且能承传乃师学术。

在今天这个网络用语风行的时代，"粉丝"一词几乎无人不晓，但举出"私淑"这个古老的词，问其准确词义，或许很多人尤其是年轻人已难以语焉其详。"粉丝"与"私淑"有相近之意，但远不具备"私淑"一词丰富深邃的文化内涵。

在我们这个历史悠久的国度，"私淑"曾是一种十分重要的教育、学习的手段，甚至是文明传承的重要方式。由于古代交通不便、信息不畅，知识、学问的获取或传播，主要靠口耳相授。故作为学生尤为看重师承关系，以标榜学问的来历、学术的正统。但并非所有求学者都那么幸运，故孟子又云："君子之所以教者五：有如时雨化之者，有成德者，有达财者，有答问者，有私淑艾者。"（《孟子·尽心上》）前四种是指圣贤施教，各因其材，最后"私淑艾者"，则是指未收入为徒的，可以通过自学以获得其所治之学。毫无疑问，想要"及门受业"远非不辞长途跋涉、多交几根腊肠那么简单，最不可逾越的，是时空交错，不能起先师于黄土啊！故古之学者，更多的是通过"私淑艾者"的方式，获得"齐家治国平天下"的各种本领。在儒学成为封建时代文化主流之后，以孟子的“私善贤人”“恨其不得学于大圣也”为特征的“私淑”传习方式，以为“善治其身”的治学和精神提升，成了中国文化绵延后代的一个重要传统。

“私淑”作为师承前贤、绍述学识的一种方式，在中国文化的各个领域，包括艺术领域，都发挥了巨大的作用。于书法一门，“私淑”同样具有悠久的历史。但在上古，因文字的使用大多掌握在高层官宦、贵族手中，故书法的传授都为名门家学、父子传业。又由于书法形式表现的特性，书学者更注重技艺的经验传授，名门望族往往积累世之学，常有非凡成就者。到了两汉时期，教育向庶民普及，书法被作为考核、选拔官吏的重要手段，在客观上大大促进了书法的发展。东汉赵壹在其《非草书》中称：“今之学草书者……以杜（度）崔（瑗）为楷，私书相与，庶独就书……夫杜、崔、张子，皆有超俗绝世之才，博学余暇，游手于斯，后世慕焉。专用为务，钻坚仰高，忘其疲劳……”赵壹的本意是要非难当时的学书之盛，但却形象地描述了当时的实际情况，成为一段难得的史料（杜度为汉章帝(75—88年)时人，做过齐相，崔瑗是杜度的学生。而赵壹则生于杜、崔死后四五十年），“今之学草书者”与“后世慕焉”等关键词，记录了当时学书者在草书名家的影响下普遍自学、专研的状况。这段文字可作为书法史料最早的“私淑”内容看待。

这种风尚所及以及书法形式、内涵的多样化发展，条件优越的学子也纷纷在名师、家学之外寻求新的营养。如后来被誉为书圣的王羲之，其年少初学卫夫人，无疑是血脉纯正，但“及渡江北游名山，见李斯、曹喜等书，又之许下，见钟繇、梁鹄书，又之洛下，见蔡邕《石经》三体书，又于从兄洽处见张昶《华岳碑》，始知学卫夫人书，徒费年月耳，遂改本师，仍于众碑学习焉”(《题卫夫人笔阵图后》)。这段文字虽不能确认出自王羲之，但所记叙之师法过程，结合王书所得各种养分，其内容是被肯定的。因之，王羲之堪称是私淑前贤的最好典范。

自“二王”成为书法正统后，“二王”一脉的书风几乎主导了其身后的几乎整个书法史，后继者以此为法乳，又依凭各人的努力和禀赋，成就了一座又一座高峰。毫无疑问，“二王”成了后代书法研习者最重要的“私淑”对象。如同中国其他传统学问、技艺的延续、发展一样，书法的沿革、兴衰，亲授和私淑这两种传习方式，都发挥了极为重要的作用，进而形成了独具内蕴的传统，甚至被视为一种精神上的尊崇。这种尊崇一直延续到现代，以沈尹默等人的深入实践和理论发扬得到了进一步彰显，以白蕉的自我标榜（曾刻有“王右军私淑弟子”印）宣示了“私淑”书学精神的现代延续。

这期间，还有沙孟海、林散之、启功等一批现代卓有成就的书法名家，担负起历史的责任，他们在汲取前代营养时更不忘传统的脉络，或取碑刻金石之韵，或举回归帖学之旗，结合个人的性情和睿智，不仅在技艺上刻苦探索，更在学术理论上勤奋耕耘。其中尤以沈尹默成就最为杰出，他很早开始整理古人的书学文献，总结书法规律和学习心得，并结合现代教育理论，倡导书法普及教育，更组织机构，亲自授课。今天看来，他们当初所做的一切，为二十世纪八十年代以后的书法繁荣，不仅在人才培养上，也在书学理论方面打下了良好的基础。正是这样的努力，使他们成了当之无愧的当代书法奠基人。他们堪称是真正的一代大师。

令人不可想象的，是在他们身后的大半个世纪里，或遭遇旧纲常捣毁，师道无以为尊，或涌来经济大潮，书坛浮躁亢奋。多时以来，审美意识混乱，书法界伪“名家”甚至伪“大师”四处横行。而书法的“私淑”传统未被很好地重新认识，却被一些沽名钓誉者“拿来”到处招摇撞骗，以致浅薄、低俗、粗陋之风盛行。这些状况深深侵害了书法的当今发展，令人不无有书道“式微”、传统“断裂”之虞。凡此种种，令生于今长于斯的当代人，更加体会传承文化的重要性，追念历代前贤所创造的伟大遗产；同时，更加追思那些作古未远的大师们。因为大师的成就直接浸润了同时代人，更泽被了今天的无数后来者。

在中国，大师一词是学科至高成就的代名词。就国学而言，能称得上国学大师的，必须在中国传统学术（如义理、辞章、考据）方面具有突出的贡献，除此之外，还要有高尚的品格，堪为公众师表。以此来比附书法领域，前者要涵盖实践和理论两个方面的杰出成就，而后者，则建筑于道德品格上杰出的修为。以此严苛的标准来衡量，如前所述，近百年以来，书法领域如上述仅有沈尹默等人可谓是实至名归的一代大师。一方面，他们是真正的书家，均在书法造诣上取得超凡的成就，而非仅仅是善书者（依沈尹默所论）；另一方面，在学术上各有建树，视“学问为终生之事”（沙孟海《与刘江书》），故在现代书法实践和理论建树上均有筚路蓝缕之功。更为可贵的是，他们历经民族和人生艰难困苦，仍保持各自独立思想和铮铮风骨，即使在传统文化遭遇西学强烈冲击之时，他们仍锲而不舍，“当仁不让地承担起这个社会所赋予我们发扬光大书法的新任务”（沈尹默《书法散论》）。他们历史使命常怀在胸，且品格鹤立于当时书坛，至今仍是时代的风标，引得无数书法爱好者纷纷追随。

简言之，“私淑”某种程度而言就是文化、学术的“绍述”，是前贤人格精神的“追随”，剔除了这个特征，私淑就没有内核可言。大师是一个时代思想和精神的结晶，因此，一个时代需要有大师级人物。私淑传统的承续也需要不断出现新时代的大师级人物，它会以它特殊的方式去引导初学者步入门径，去抚慰徘徊堂奥之外者的迷茫甚或痛苦，去培养出更多的有识之士，来共同消除书法一脉的外部干扰和内在危机，探索创作与治学更多的奥旨，来秉持前贤的薪火，延续数千年之久的传统。在这方面，这些大师学识兼备，身名远播，本身就是私淑传统最重要的弘扬者。我们相信，大师的风标和精神的引领，是事业从无到有、继往开来的重要保证。我们期望“私淑”的传统，与其他教育方式一起，能培育出对今天书法有用的杰出人才，以博大的胸怀，涵养古今，吞吐中外,来共同继承前贤的宝贵遗产。

我们千万不要甘愿只做娱乐化的“粉丝”,而忘却甚至丢弃了我们具有千年历史传统和信仰意义的“私淑”文化精神。

正是基于这样的思考,我们编选这套《大师私淑坊》丛书,希冀更多的读者透过这些凝聚心血之作,来获取大师们无比的学识力量,弥补无缘亲炙于大师的遗憾。

愿我们的《大师私淑坊》召唤“私淑”的悠久传统,成为一个无师讲授而俨然师在的讲席,它将是一个不受时空限制、令学人永远神往的课堂。

2013年清明后三日再改于梅川嘉泰暂寄寓所

白蕉（1907—1969年）

导　言

王家新

白蕉先生是近现代书法史上杰出的帖学大家，是一位诗书画印兼擅的全能型艺术家，是二十世纪帖学复兴运动的标志性人物。他沉酣书艺，精研书论，以其超乎等夷的史学观打破总总碑派观念的束缚而直溯魏晋。他在二王一脉帖学经典中研精钩深，数十年不曾间断对传统笔法的研究与探索，最终形成了风神洒脱、意趣高远的自家风范。白蕉在书法创作之余，为复兴帖学、普及书法，他开坛授课，整理讲稿，撰写了一批论书文字。他结合自己的学书经验，把历代学书要旨以简易平实的语言和盘托出，这些文章是白蕉书学思想的集中体现。

一、由隋唐入魏晋，尽得江左风流

白蕉（1907—1969年），上海金山县张堰镇人。金山县原属松江府，松江古称云间，故常自署“云间居士”、“云间下士”、“云间散人”等。本姓何，名馥，又名治法、复生，字远香，号旭如。后以白蕉行，字献之，别署复翁、济庐、东海生、无闻子、虚室生、秃翁、浅白、养鼻先生、不入不出翁、天下第一懒人、仇纸恩墨废寝忘食人等。白蕉书法出入二王，独步书坛；爱兰植兰，写兰逼真。尝自评“诗第一，书二，画三”，而于篆刻不论。

白蕉出生于知识分子家庭，父亲何锡琛(字宪纯)是当地颇具名望的中医，白蕉自幼受到良好的教育。他的书法初从欧阳询、虞世南楷书入手，稍后学钟繇，后专攻二王及《阁帖》。乡贤董其昌“学唐乃能入晋”的艺术观点颇有见地，白蕉一生笃信不疑。白蕉学书没有专门拜过老师，基本是自学成家，但他在碑派昌炽的时代竟然一下子寻得门径，由初唐楷书追溯魏晋行草，并最终以二王书风为旨归，直入山阴堂奥，尽得江左风流。白蕉视此为“走正路”，可以说白蕉在学书道路上入手便是极为正宗的帖学训练法，可谓“取法乎上”！

白蕉虽天赋才情，敏学善思，但在学习书法的不同阶段着实下过苦功。如学书初

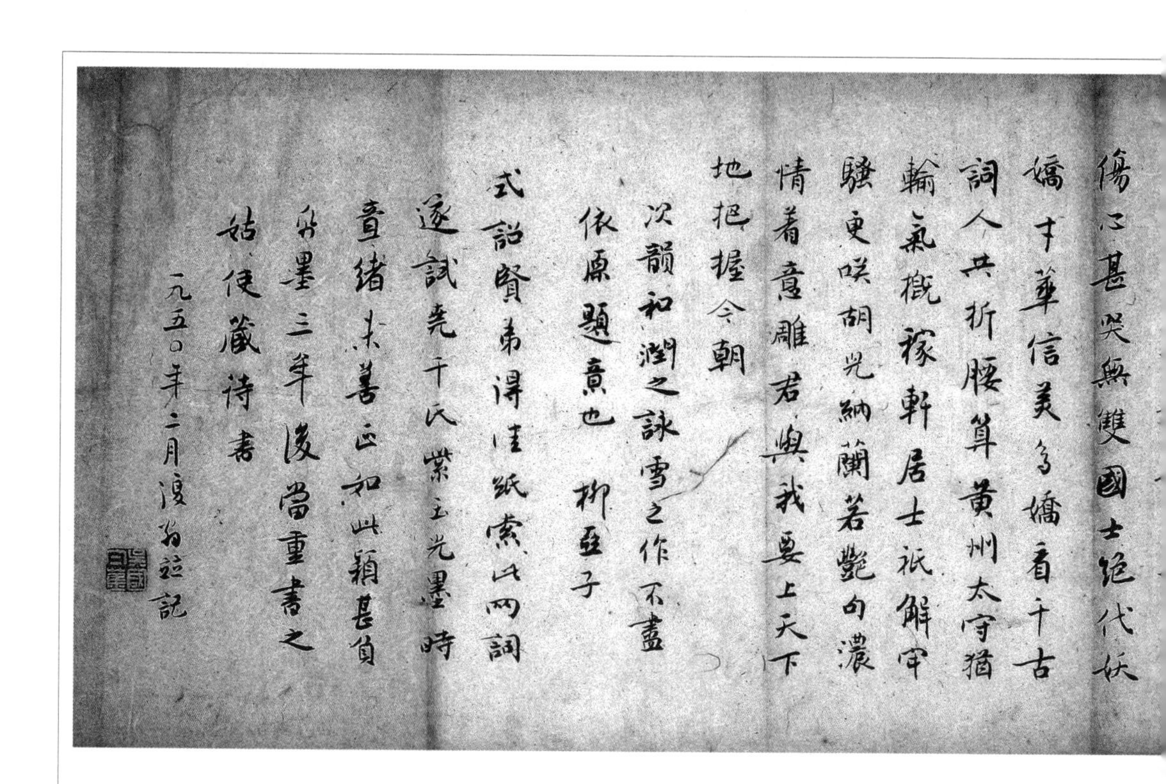

傷心甚哭無雙國士絕代妖
嬈才華信美多嬌看千古
詞人共折腰算黄州太守猶
輸氣概稼軒居士衹解牢
騷更笑胡兒納蘭若艷句濃
情着意雕君與我要上天下
地把握今朝
次韻和潤之詠雪之作不盡
依原題意也　柳亞子
式詒賢弟得佳紙索此兩詞
遂試堯千氏紫玉光墨時
章緒未善正知此穎甚負
好墨三年後當重書之
姑使藏詩書
一九五〇年二月復翁並記

阶，他认为“欲工行草，先工真楷”，而“楷法自以欧、虞为最难”。他要求择帖后就要立定一家，先专后博，“眼中、笔底不要接触别一家，甚至周围环境我认为也都得注意安排好”，临写时“要心到、眼到、手到”。所以他早年临习欧阳询《九成宫醴泉铭》和虞世南《汝南公主墓志铭》的临本，对着阳光可与原帖重合，可见白蕉对临摹用功之深。

至于“由楷、正而及行草”，如何“尽其变化，见其全貌，得其全神”？白蕉认为：“临帖光是把字写得端正还是不够，写哪一家、哪一帖，一定要摸透他的用笔方法，一

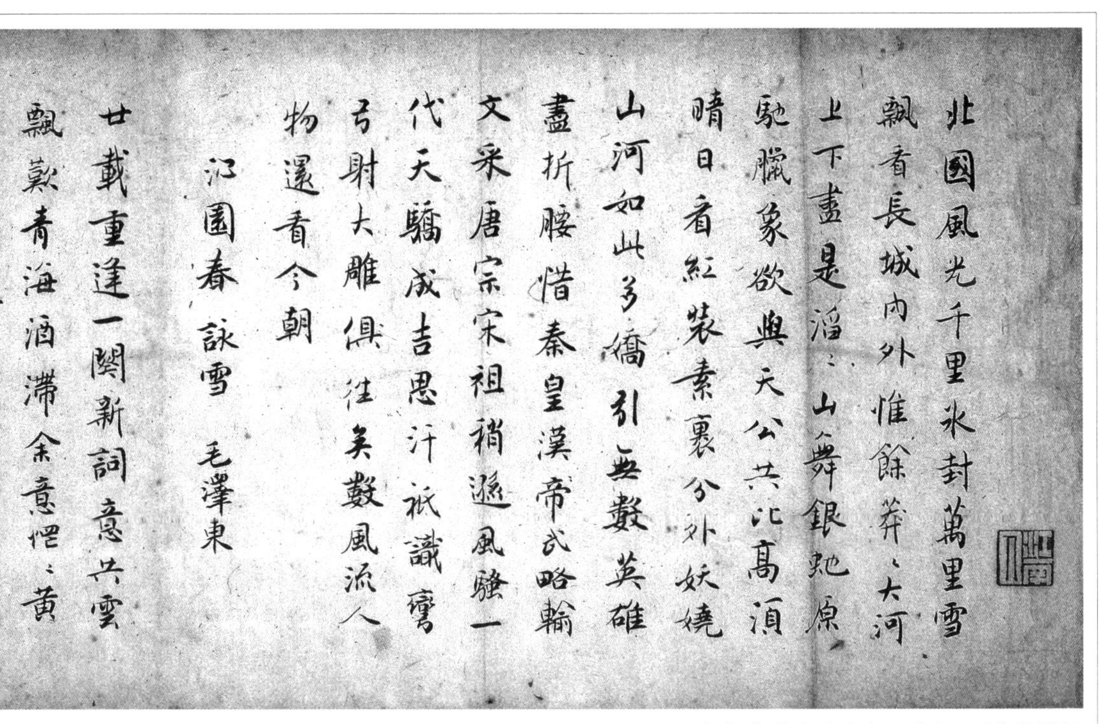

白蕉书录毛泽东《沁园春·雪》等横幅

白蕉草书团扇

定要临得神气活现才好。”他曾自述初学王字不得法，久久徘徊于门墙外，后来得到了《丧乱》、《二谢》等唐人摹本的照片，悉心揣摩，刻苦临习，才稍解其意。又曾选用《阁帖》中王字放大至盈尺见方，朝夕观摹，终日晤对，遂得其神趣。据白蕉夫人金学仪女士说，他从小就给自己立过一个规矩：墨不尽不休，到老不改。他差不多每天晚上都要准备两大杯墨汁，常常通宵达旦地临摹、创作、挥洒，笔耕不辍，不到四壁龙蛇，纸尽墨干决不罢休。白蕉诗云“爱书正与此身仇，半夜三更写未休”，是他自己的真切写照，故每称“仇纸恩墨废寝忘食人”。如此浸淫二王法书，体悟魏晋风韵，也就较快地掌握了二王书法的用笔方法，所以心高气傲的他曾经说过：“余早岁临池，夙以之自负。遇得意，自矜‘晋唐以后无此作’印，狂态可掬，然迄今未敢以此席让人。”这倒颇有些像当年董其昌学钟、王三年就不复将文徵明、祝枝山置之眼角一般了。

白蕉学书入手极高，一开始便抓住了中国书法的精髓——二王法书作为自己终生学习的对象，再加上他本人极高的艺术天分和不间断的刻苦临习，使得他的书法很快就取得了相当的成就。1938年，为了捐款抗日，他和邓散木合办“杯水书画展”，初露头角就受到世人激赏。著名画家唐云评其书：“万派归宗漾酒瓢，许谁共论醉良宵。凭他笔挟东风转，惊倒扬州郑板桥。”1940年，三十四岁的白蕉在上海首次举办个人书法展，四方好评如潮。当时的草书大家王蘧常作诗赞颂道：“三十书名动海隅，钟王各欲擅千秋。如何百炼功成后，傲骨难为绕指柔。”此后曾多次在上海举办个人书画展，时人评曰：“云间于右军书，功力最深，当代一人，世所公认。”其声名远播海内外。

二、为复兴帖学，吐金石良言

白蕉为复兴帖学、普及书法，授课之余结合自己的经验整理讲稿，撰写学书心得和普及书法的文章。如《云间言艺录》可以说是白蕉书学思想的总纲；《书法十讲》和《书法学习讲话》以简易的语言、生动的例举条分缕析到章节；《怎样临帖》、《书法的欣赏》则是讲稿部分的丰富和延伸。这些文章集中体现了白蕉的书学思想。对于书法普及课稿中所讲述的具体问题，撷要梳理如下：

（一）学书前的基本准备

白蕉一生淡泊名利，学习书法锲而不舍，而他对书法艺术的痴迷，可谓其“成功秘诀”，即俗语所谓“兴趣是最好的老师”。他在学书法时要求注意“静、兴、恒”三个字。“第一个是‘静’字。我常说艺是静中事，不静无艺。”“第二个字是‘兴’。我人研究一种学问，当然要对所研究的一门要先发生兴趣。……我们要不怕难，能够不怕，自会发生兴趣。”“第三个字是‘恒’。我们要锲而不舍，不能见异思迁，不可一曝十寒。”

而对于学习的取法上，白蕉认为一定要高。所谓“取法乎上，仅得其中；取法乎中，斯为下矣！”所以他反对学生学自己：“你们应当先寻着我的老师，你们来做我的同学，将来的成就，也许就会比我好……从来学习者就不见有青出于蓝的。”这颇似祝允明的一段学书自述：“仆学书苦无积累功，所幸独蒙先人之教，自髫丱以来决不令学近时人书，目所接皆晋唐帖也。”

（二）临帖的具体要求

在正式进入临帖前，白蕉认为选帖最关键，是一个初学者最需要及早地、适当地解决的问题。他认为应该“老师提名，自己选择”，比喻道：“选帖这一件事真好比婚姻一样，是件终身大事，选择对方应该自己有主意。……父、兄、师、长所负的指导责任……就是帮助解决这些问题而已。”反对学书者一根筋地都去学颜、柳这“两朵大花”。而一旦选择好了，就要跟定这一个老师，实践功夫放在第一位，先专后博，这是下基本功，是最主要的。

对临帖的过程作出要求，即要在“摹、临、看（读）、背”上下足功夫。他说：“这些功夫的作用，摹是要得到其间架；看是要得到其神气；临可以兼得间架和神气；背则能使所学习的东西更为熟练，加深印象。”

在具体操作上，白蕉拈出孙过庭“执、使、转、用”分别讲解：

1、执笔：写字要用笔，正像吃菜要用筷子一样，怎样去执笔，这问题又正和怎样去用筷子一样。……是一样的简单和平凡。

指的职在执；腕的职在运。写大字须悬肘，习中字须悬腕，习小字可枕腕；中字仍以悬肘为目的，小字仍以悬腕为目的，此纯为初学者言。……“擫、压、勾、揭、抵、拒、导、送”八字法，说执运之理很精，它的形状，即古人所谓的“拨镫法”。

执笔的高低也是极有讲究的。……执笔的松紧和运指也应注意。

2、使转：关于运笔问题，包括笔法、墨法两项。笔法是谈使转；墨法是谈肥瘦。使转关于筋骨，筋骨源于力运；肥瘦关于血肉，血肉由于水墨。而笔法、墨法的要旨，又尽于“方”、“圆”、“平”、“直”四个字。方圆于书道，名实相反，而运用则是相成，体方用圆；体圆用方。又画欲平、竖欲直，说来似乎平常，实是难至。

3、用是指字的结构：结构就是讲点画、位置、多少、疏密、阴阳、动静、虚实、展促、顾盼、节奏、回折、垂缩、左右、偏中、出没、倚伏、牡牝、向背、推让、联络、藏露、起止、上下、仰覆、正变、开阖之次序，大小长短之类聚，必使呼应，往来有情。广义一点讲，关于行间章法，都可以包括在内。

执死法者损天机，凡是艺术上所言的法，其实是一般的规律，一种规矩的运用，所以还必须变化。……结构是书学上的方法，是艺术方面的技巧，而不是目的。换句话说，便是在书法上的成功，还有技巧以上的种种条件。

（三）正行草书的进阶训练

关于书法诸体的学习，孙过庭认为：“偏工易就，尽善难求。”白蕉进而认为：“一个人成为书家，能精正、行二体已是了不得。”他分析篆隶书纯属美术，不是一般的应用。他的旨趣以实用为尚，认为：“由楷、正而及行草，以尽其变化，见其全貌，得其全神，此为最要。”故专论真、行、草三种书体的分步骤训练。

1、楷书由隋唐入手。他认为行草用笔来源于正楷，“欲工行、草，先工正楷，自是不易之道”。如唐代张旭虽以草书名世，但他的正书《郎官石柱记》竟写得精深拔俗。主张由隋唐人入手。“学者由规矩入手，必须留意体势和气息，此等议论，不可不加注意。……既经规矩和法度的陶铸，而后来的恣肆，学力已到，方是真才。”

2、行书以尺牍、闲文为最佳。“写尺牍与其他闲文及写稿，不像写碑板那样认认真真、规规矩矩。因为毫不矜持，所以能自自然然，天机流露，恰到好处。行书要稳秀清洁，风神萧散，决不可草率。”他在分析了宋、元、明人尺牍少可观者后认为行书的极则——取法对象当为晋人墨迹和《阁帖》。

3、草书要能淹留。在取法上“学楷正由隋唐入手，但草书决不可由唐人的‘狂草’入手”。他认为王羲之的草书《十七帖》最宜上手，其他晋贤草书都很好。目标是“学草书不入晋人之室，不可谓之能”。

草书精熟之后才能够快，但是这个快字，在时间方面如此说，若在运笔方面讲，正须“能速不速”方才到家。

白蕉总结道：“作字不论正、行、草，先要放胆，求平正开展而须笔笔精细，贵恣肆而尤尚雅驯。得笔势，重意味，贵生动，忌板滞。……初学应从凝重、难涩入手，切忌故作古老。”

（四）书法的最高修养

对于书学的最高修养，白蕉归结为“书髓”，此论断是说书法大概到了“炉火纯青”的合作地步，必定具备“心境”、“性情”、“神韵”、“气味”四项条件。

1、心境：心境要闲静。

2、性情：性情要灵和。

3、神韵：神韵由于胸襟。

4、气味：气味由于人品。

进而认为这四项条件又须总归于“学识”。“学识”当指“学力”和“识见”。白蕉有云：“文艺与师法、学力、识见、胸襟联系最密。大家与俗工，尤于后二者区之。”故即便有天资而不加学，则学识不进。

白蕉的论书文章，综述了文字起源、书体演变、工具材料、碑学与帖学，其中论碑、帖之短长尤见白蕉的史学素养。大抵贯穿着“走正路”、“下功夫”、“取法乎上”、“书法以人传”等思想。分述了学习书法的诸方面，如学书的心境问题、选帖问题、执笔问题、运笔问题、结构问题、临帖问题，而临帖中由笔法、笔力、笔势上升到形神关系的研究，可谓由技近乎道了。通读这些文章后，我们不得不承认白蕉涉及的是艺术学研究的一个永恒课题——继承与创新。

白蕉自然深谙古人“入古出新”的道理，他说：“学书始学像，终欲不像。始欲无我，终欲有我。”因此，白蕉书法没有泥古拘方，他做到了既有晋人风韵，却又能有自家的精神面貌，他的书法，是技法与才情的完美统一。

目 录

书法十讲

书学前言

书学在古代为六艺之一，本来是一种专门的学问。周秦以来，历代都非常重视，尤其是汉、晋、唐三朝。五千年来，其间书体颇有变迁，不过可以这样概括地说：我国的书法直到魏晋，方才走上一条大道，钟王臻其极诣，右军尤其是集大成，正好像儒家的有孔子一样。

在书法的本身上说，不佞并无新奇之论。现在愿诸位在学习书法时注意的有三个字：第一个是“静”字。我常说艺是静中事，不静无艺。我人坐下身子，求其放心，要行所无事。一方面不求速成，不近功；一方面不欲人道好，不近名。像这样名心既淡，火气全无，自然可造就不同凡响。第二个字是“兴”。我人研究一种学问，当然要对所研究的一门要先发生兴趣。但是一时之兴是靠不住的，是容易完的。那么如何可以使兴趣不绝地发生呢？总之，在于有“困而学之”的精神。俗语所谓“头难、头难”，开始的时候，的确不易，没有毅力的人，不免见难而退，就此灰心。所以我们先要不怕难，能够不怕，自会发生兴趣。起始是一种浅尝的兴趣，到后来便得深入的兴趣，有了深入的兴趣，不知不觉便进入“不知肉味”的境界里去了。将来炉火纯青，兴到为之，宜有杰作。第三个字是“恒”。我们要锲而不舍，不能见异思迁，不可一曝十寒。世界上许多学问事业，没有一种学问、一种事业可以无“恒”而能够成功的。《易经》恒卦的卦辞，开始就说：“恒、亨、无咎、利贞、利有攸往。”那是说有恒心是好的、是通的、是有益的，如果锲而不舍，那就无往而不利了。当年永禅师四十年不下楼，素师退笔成冢，可见他们所下的苦功。又如卧则划被，坐则划地，无非是念兹在兹，所以终于成功。

但是，梁庾元威说：“才能关性分，耽嗜妨大业。”不佞平时对书学就有这一点感想。

请诸位也想一想看：现在通俗的碑帖是谁写的？他们在当时的学术经济是什么样？可不是都很卓越吗？唐宋诸贤，功业文章，名在简册，有从来不以书法出名的，但是我看到他们的书法，简直大可赞叹！所以我往常总是对讲书法的朋友说："书当以人传，不当以书传！"此话说来似乎已离开艺术立场，然而"德成而上，艺成而下"，我人不可不知自勉。今天我所以又说起此点，正是希望诸位同学将来决不单单以书法名闻天下！

第一讲　书法约言

书法这个问题，讲起来倒也是一言难尽，因为它历史长、方面多、议论杂。在往年，因为一般的需要，朋友的怂恿，我曾经计划过为初学书法者编写《书法问题十讲》，可是人事草草，未能落笔，至今方能如愿。

在准备研究书法之前，先必须弄明白什么叫书法？书法二字的界说如何？同时也因简单了解一下文字、书法的历史和发展过程。

从历史上讲，有了文字，以后才有书法。文字的演进，大别为制作与书法。六书——指事、象形、会意、形声、转注、假借，为文字组织所归纳的基本原则。篆、隶、分、草、行、楷的递变，为书法之演进。制作方面的属于文字学，我们现在所谈的为书法。所谓书法，就是讲文字的构造、间架、行列、点画的法度。

我国的书法，从来便称为东方的一种美术。美术是属于情感的一种艺术，能动人美感，所以称为美术。原来我国的文字是从象形蜕化而来，其初是和绘画不分的，如：[illegible]、[illegible]、[illegible]、[illegible]、[illegible]、[illegible]、[illegible]，便是代表人、龙、羊、鱼、目、日、子这几个字。而且一个字的写法，繁简变化不同，有像其静态的；有像其动态的。这种符号，更确切地讲是一种简化了的美术图画，不正是美而富于情感的吗？直到秦汉时代，书法的形式统一以后，绘画才成为独立的艺术。书法的结构、间架、行列、点画与所用的工具，虽然渐渐和绘画分了家，可是其中所包含的形象的美和情感的美，还是存在的。

一般的人说起书法，总是说正、草、隶、篆，要知道这个次序，是排得与书体发展的历史不相符合的。我们现在研究书法，先得要把这一点弄清楚。

第一，我们熟知我国造字的圣人是黄帝时的史官叫做仓颉，他始作书契——文字，以代替结绳（当然这决不是他一个人所造得出的）。自黄帝至三代，其文不变，这便是后世所称的古文。到周宣王时的史官——史籀又作《大篆十五篇》，与仓颉的古文颇有出入，这便是后世所称的大篆——这里所称的“作”，当然不是指创作，而是指史籀把当时流行的文字做了一番收集、整理和改良工作。那时他之所以做这种工作，大概是想整齐划一天下文字的缘故。可是那时不像现在，交通不便，不曾能够通行，而且平王东迁，诸侯力政，七国殊轨，文字乖舛。直到秦始皇打平六国，统一天下，令丞相李斯作《仓颉篇》，车府令赵高作《爰历篇》，太史令胡母敬作《博学篇》，中国的文字才告统一，这便是后世所称的小篆。可见我国的文字，自从黄帝以后，直到战国末年、秦始皇时代，这二三十年间所通行的文字，只有篆书。虽统称为篆书，其中大别，还分为古文、大篆、小篆三种。

第二，社会进化，人事方面也一天一天繁起来，写篆书像描花一般，渐渐感到费事。秦始皇既统一天下，统一文字，官职的事，实在太多了，这时候有个姓程名邈的人，覃思十年，损益大、小篆之方圆，作隶书三千字，趋向简易，拿给秦始皇看，秦始皇便起用他为御史。但当时仅官司刑狱用之，其他方面还是应用小篆。直至汉朝和帝时，贾鲂撰《滂喜篇》，以仓颉为上篇，训纂为中篇，滂喜为下篇——世称三仓，都用隶书来写，隶法从此而广。为什么叫隶书呢？原因是那时的人，因程邈所作的字是方便于徒隶的，所以叫做“隶书”；它的写法便捷，可以佐助篆书所不及，因此又叫做“佐书”；汉初萧何

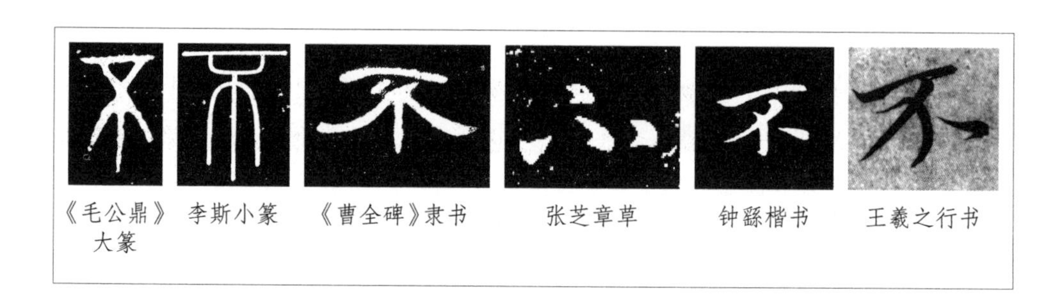
《毛公鼎》大篆　李斯小篆　《曹全碑》隶书　张芝章草　钟繇楷书　王羲之行书

草律，以八体试学童，八体中隶书最切时用，所以选拔其特出的好手为“尚书御史史书令”，因此汉人亦名隶书为“史书”。从篆到隶，这是我国书体上的一大改革。

第三，章草是汉元帝时黄门令史游所作。解散隶体，粗略书之，存字之梗概。损隶之规矩，纵任奔放，赴速急就，字字区别，实在是隶书之捷写，适应时代所需要，救济隶书所不及的产物。其后百年，有杜伯度、崔瑗、崔寔，是当时有名的精工章草的书家。到了后汉弘农张芝，因而转精其巧，面目又不同起来，即后世所称今草之祖，其草又为章草之捷。行书是后汉颍川刘德昇所作。魏初钟繇是他的弟子。讲到楷书，史称是上谷王次仲始作楷法，但这是说八分之祖，不是今日的正楷书。八分别于古隶，由于用笔有波势。今日的正楷书，在汉末已经成立，到魏晋这一个时期内，始集大成，而应用亦日广。所以书体在汉代变样最多。

所以约言起来：“自仓颉以来，字凡三变。秦结三代之局，而下开两汉。三国结秦汉之局，而下开六朝。隋结六朝之局，而下开唐宋，遂成今日之体势。”

我国书体的变迁系统表如下：

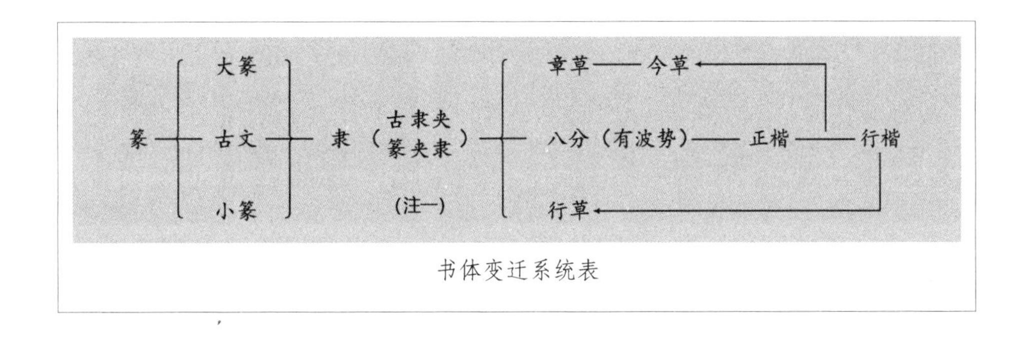

书体变迁系统表

在这里，我们可以明白看出书体变迁的顺序与相互间的关系，应把世俗所说的次序恰恰颠倒过来才对。至于当时所用工具的变迁大势是：废刀用笔（注二），废竹用帛，废帛用纸。而促使书体变迁的动力，是社会的发展——因为人事日趋繁复而要求书法日务简便。

书法在古代为六艺之一，本来是一门专门的学问。在汉代就有考试书法的制度。到了晋代、唐代，且有书学博士的专官，可见当时重视书法的一斑了。唐太宗酷嗜王羲之书，帝王书中，他是唐代首屈一指的。他常对朝臣说："书虽小道，初非急务，时或留心，犹胜弃日。凡诸艺事，未有学而不得者也，病在心力懈怠，不能专精耳。"明代项穆说："资过乎学，每失颠狂；学过乎资，犹存规矩。资不可少，学乃居先。古人云：'盖有学而不能，未有不学而能者也！'"可见书法并不是件很容易的事。世俗说："字无百日功"，这话不是成功的人说的，唐时徐浩已讥为"悠悠之谈"。宋代苏东坡有二句诗："退笔如山未足珍，读书万卷始通神。"这是说胸中有书本子，笔下自然不俗。可知在写字本身之外，还有别的有关联的重要事呢！

现在我和诸位一起学习书法，姑且不谈篆、隶、分、草，因为我们先要讲实用。篆、

王羲之　欧阳询　虞世南　褚遂良　薛稷

隶、分、草或者放在后面作进一步研究的时候再讲。

讲到正、行二种书体，晋朝人算是登峰造极了，尤其是王羲之，历来被推为书圣。唐、宋以来的书法大家，都是渊源于他。

凡是求一种学问，我们都应记得从前人有一句话："取法乎上，仅得其中；取法乎中，斯为下矣！"我往年常对及门诸弟子说："假如你们欢喜我的字，就来学我，这便是没有志气。那么应该怎样才好呢？简单地说，我看你们应当先寻着我的老师，你们来做我的同学，将来的成就，也许就会比我好。自然喽，路子怎么走法，我可根据自己的实践，谈一些体会，指示给你们参考。"为什么我这样说呢？因为诸位想吧：俗语常常有"青出于蓝"一句话，但是青出于蓝是何等事？怎么可以说得如此容易呢！从来学习者就不见有青出于蓝的。譬如学颜真卿、柳公权的，有见到比颜、柳好的么？学苏东坡、米襄阳的，有比苏、米好的么？学赵松雪、董其昌的，有见到比赵、董好的么？我们必须要明白其中道理。孔门弟子三千人，高足有七十二人，七十二人中，称为各得圣人之一体的有几位？在书法方面讲，唐朝的欧阳询、虞世南、褚遂良、薛稷也仅是各得右军的一体啊！所以假使你欢喜王字的话，就应得以欧、虞、褚、薛四家为老同学，你做小弟弟，他做老大哥，老大哥来提挈小弟弟。当然，一个人傲气不可有，志气是不可低的！

“行远自迩，登高自卑。”我人固然要取法乎上，但不能一蹴而就。书法讲实用，应当从楷正入手；学楷正应从隋唐人入手。为什么要从隋唐人入手呢？因为隋人的楷正已有定形，唐人的写字是很讲法则的，有规矩准绳可循。我们学书，需要打根底、下苦功、用长力。譬如造高房子先要打深厚的地基，房子越高，地基越要深厚。所以先学楷正，正是“先学走，慢学跑”的一个当然道理，亦是一个普及的办法。前人用兵有“稳扎稳打”的一句话，写字也应如此，才不致失败。

注一：隶书的名称，从来就很“混”，古人所谓的隶书，是说现今的楷书（王应麟说：“自唐以前，皆谓楷字为隶。欧阳公《集古录》始误以八分为隶。”）；现今的隶书，古人叫做“八分”。但“分”的名称，又没有精确的分辨。关于“隶”和“分”的辩论文字，除《佩文斋书画谱》所已著录之外，翁方纲有一篇专论，叫做《隶八分考》。其他如刘熙载的《艺概》及包世臣、康有为等都曾经说到过这个问题，各有主张。包氏在《历下笔谈》中所言近是，简明可取，兹录于后：“秦程邈作隶书，汉人谓之今文。盖省篆之环曲，以为易直，世所传秦汉金石，凡笔近篆而体近真者，皆隶书也。及中郎变隶而作八分，八，背也，言其势左右分布，相背然也。魏晋以来，皆传中郎之法，则又以八分入隶，始成今真书之形。是以六朝至唐，皆称真书为隶。自唐人误以八分为数字，及宋并混分隶之名。窃谓大篆多取象形，体势错综；小篆就大篆减为整齐；隶就篆减为平直；分则从隶体而出以骏发；真又约分势而归于遒丽。相寻之故，端的可循。隶真虽为一体，而论结字，则隶为分源，论用笔，则分为真本也。”

注二：近代发现甲骨文字，在甲骨上漏刻的地方，发现朱书、墨书，证明书写的工具为毛笔。又铜器铭文亦是用毛笔先写而后刻，那么可见毛笔、墨已流传于三千年前。而鲁孔庙中的石砚，认为是孔子的遗物，亦不是不可信的了。

第二讲　选帖问题

现在讲到选帖问题了，这是一个初学者最需要及早地、适当地解决的问题。初学者往往把这个问题去请教“先进者”是必要的，但问题就在于把这件事解决得适当不适当。在过去,也许是风会使然吧,一般老辈讲到书法,总是教子弟去学颜字、柳字,颜是《家庙碑》,柳是《玄秘塔》之类。大家同样地说“颜筋柳骨”,写字必须由颜、柳出身。他们不复顾到学习者的个性近不近,对于颜柳字帖的兴趣有没有,他们是很负责的、教条式的规定下来了。那么,这办法究竟通不通呢?正确不正确呢?这里我不加论断。我想举几个例子,谈谈自己的看法和理由,请诸位自己去分析、去判断。

唐 颜真卿《颜氏家庙碑》　　唐 柳公权《玄秘塔碑》

譬如说，你们现在问我到南京去的路怎么走法？我可以明确地告诉你们，路子很多：京沪铁路可以到；苏嘉铁路也可以到；京杭国道也可以到；航空的比较快；水路乘长江轮船也可以到，只是慢些。同样，写字也是这样，我所取譬的各条路线，正好比你们从各家不同的碑帖入手，同样可以到达目的地——把字写好。

譬如说，你们现在面对着我，从不同的角度来讲，也只看见我一个面孔，而我却可以看见你们许多面孔。我在自问，在你们中间可有两个面孔相同的没有？没有。古人说："人心之不同，如其面焉。"真不错，面孔是各人各样的：有鹅蛋脸、瓜子脸、茄子脸、皮球脸等等，即使是同一父母所生的子女，特征也是各样的。在外貌方面如此，在个性方面也自然是各样的，可以说："个性之不同，如其面焉。"诸位想吧：有些人性情温和，有些人性情暴躁；有些人豪爽慷慨，有些人谨小慎微；有些人性急，有些人性缓等等，等等。人们在嗜好方面也大有差别：有些人喜欢穿红着绿；有些人喜欢吃臭豆腐干；有些人不喜欢吃鱼；有些人喜欢吃狗肉而不吃猪肉等等，等等，从各方面来看都是无法统一的。我想，世界上没有这样一个力量能把各种各样的个性、嗜好都放在一个模型里，即使是无锡人做的"泥阿福"，也不可能做得一式一样。

再譬如说吧，把做栋梁的材料去解小椽子，这是聪明木匠吗？胖子的衣服叫瘦子穿是不是好看？长子的裤子叫矮子穿能不能走路？"因材施教"是孔子教学的方法，"夫子循循然善诱"，是颜回说孔子的善于教导，这两句话也许大家都听到父母师长讲起过的。想一想吧，如果教子路去学外交；游、夏去学打仗……那就不成其为孔子了。

那么对于选帖问题到底应该如何适当地、正确地解决呢？我的回答，也许有人会认为我在讲牛头不对马嘴的话，甚至在老前辈听来也许会认为有些荒谬。好吧，为了我不愿作教条式的规定；为了譬方得确切起见，我的回答很简单："自由选择"——譬如婚姻的自由恋爱，说得对不对，要诸位自己去估量。如果估量不出，可以再去请教诸位的父母兄姐,他们一定可以给你一个正确的答复的。

为什么我要这样譬方呢?我的见解和理由如下:

选帖这一件事真好比婚姻一样,是件终身大事,选择对方应该自己有主意。世俗有一句话,说是:“衣裳做得不好,一次;讨老婆不着,一世。”实在讲起来,写字的路子走错了,就不容易改正过来。如果你把选帖问题去请教别人,有时就好像旧式婚姻中去请教媒人一样。一个媒人称赞柳小姐有骨子;一个媒人说赵小姐漂亮;一个媒人说颜小姐学问好,出落得一副福相;又有一个媒人说欧阳小姐既端庄又能干。那么糟了,即使媒人说的没有虚夸,你的心不免也要乱起来。因为你方寸中一定要考虑一番:不错呀,轻浮而没有骨子的女子可以做老婆吗?不能干,如何把家呢?没有学问,语言无味,对牛弹琴,也是苦趣;是啊,不漂亮,又带不出门……啊哟!正好为难了。事实上在一夫一妻制度下,你又不可能把柳、赵、欧、颜几位小姐一起娶过来做老婆的呀!那么,我告诉你吧,不要听媒人的话,还是自由恋爱比较妥当,最要紧的是你自己要有主意,凡是健康、德性、才干、学问、品貌都应注意,自己去观察之外,还得在熟悉她们的交游中做些侧面访问工作。如此,你既然找到了对象,发生了好感,就赶快订婚,就应该死心塌地去相爱,切莫三心二意,朝秦暮楚。不然的话,我敢保证你一定会失败。否则还是求六根清静,赶快出家做和尚的好。

在这里,也有一种左右逢源的交际家。譬方说是一个某小姐,星期一的下午是约姓张的男朋友到大光明去看电影;星期二的晚上与姓李的男朋友有约,到老正兴去吃饺子;星期四的上午约姓王的男朋友去逛复兴公园;星期六的晚上约姓赵的男朋友到百乐门跳茶舞,安排得很好,他们各不碰头。下次有约,也是像医生挂号一样。她与他们个别间都很熟悉,可是谈到婚姻问题,张、李、王、赵都不是她的丈夫,还是没有结果的不是吗?有些同学笔性真好,无论什么帖放在面前,一临就像样,一像就丢弃,认为

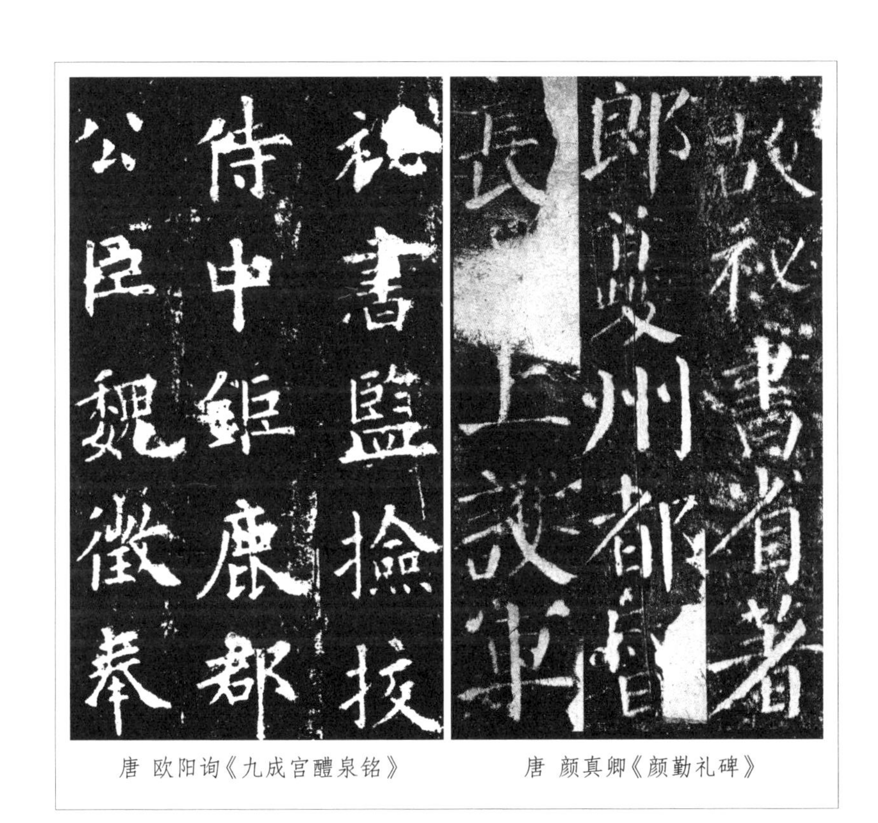

唐 欧阳询《九成宫醴泉铭》　　唐 颜真卿《颜勤礼碑》

写字是太容易了，何必下苦功，结果写来写去还是写的“自来体”，一家碑帖都未写成功。就等于谈情说爱太便当了，结果大家都容易分手一样。

由于如上的见解、理由，所以对取为师法的碑帖方面，我是主张应该由自己去拣选。父师兄长所负的指导责任，只是在指点给你们有哪几位名家，哪几种碑帖可以学；同 种碑帖版本的高下，哪几种是翻刻的，或者根本是伪造的；学某家应该注意某种流

元 赵孟頫《三门记》　　唐 柳公权《神策军碑》

弊,以及谈些技法方面的知识等等,就是帮助解决这些问题而已。

在这里,另一种问题还是有的。譬如说,你的笔性是近欧阳询的;或者是近褚河南的;或者是颜真卿的,你是决定学欧或褚或颜字的了。可是欧、褚、颜三家流传下来的名碑帖,每家都不止二三种,尤其是鲁公最多,那么主要的到底应该学哪一本呢?你跑进了碑帖店,不是像刘姥姥进大观园吗?还有些同学,楷书是学过某几家的,行书又爱好某一家,自己觉得学得太杂了,但又舍不得放弃哪一家。在这个时候,指导者给他作正确的指导或者替他作有决定性的取舍，我想是应该的。

我在第一讲里说过，初学者应先学正楷书，而正楷书应先从隋唐人入手，这是一般合理的考虑，是“走正路”的说法。隋代流传下来的碑版，大都没有书者姓名。（见后附参考碑帖目录）唐代四大家中，欧、虞、褚三家书迹流传多有名拓本，薛（稷）最少，笔力也自不及三家。此外，如颜真卿、柳公权都可以取法，在我并没有成见。

凡是学问都没有止境，也就是说没有毕业的时候。如果你说，我对于某一种学问是已经学成功了，那便是等于宣告自己不会再进步了。在书学方面，拿速成来说，正楷的工夫至少也要三年；既然已选定了碑帖，至少要把这部碑帖临过一百遍，才有根底可说，才能得到他的气息。所谓下工夫，应当在临、摹、看三者之外，还要加上“背”的工夫。这些工夫的作用，摹是要得到其间架；看是要得到其神气；临可以兼得间架与神气；背则能使所学习的东西更为熟练，加深印象。

往年旧式家庭教子弟习字，从把手描红而影格、脱格——脱一字起至一行，相等于现在幼稚生至初小、高小程度（年龄自五六岁至十一二岁），再进一步然后是临帖（初中程度起），这办法是很合理的。其实影格便是摹，脱格便是临。关于临、摹二者的一般过程，姜白石说：“初学书者，不得不摹，亦以节度其手。”又云：“临书易失古人位置，而多得古人笔意。临书易进，摹书易忘，经意与不经意也。夫临摹之际，毫发失真，则神情顿异，所贵详谨。”

摹和临的不同与其于学习进程上的关系，姜白石说得很明白了。但在摹的一方面，古人还用双勾和响拓的死功夫，这真是了不得。所谓双勾就是：有些时候见到名拓或者真迹，因不能占有它，于是用水油纸把它细心勾摹下来，自己保存，以备临习时参考。（水油纸即等于古代所谓硬黄纸一类，透明、吃墨而不渗）所谓向拓就是：在暗室中向阳处开一小孔，把所欲拓者在孔的漏光中取之。这个法子是用于名拓或真迹原本，色暗而不清晰者。临书的时候，要力求其似，应当像优孟学孙叔敖，动止语默，须惟妙惟肖。孙过庭说："察之者尚精，拟之者贵似。"这是说临而先看，因为看是临的准备。但是我说的看，不仅仅是说临习前须看得仔细，我的意思是即使不在临写，在无事的时候，正须像翻心爱的画册、书本一样，随时看之。至于背，就是说在临习某种碑帖有相当时期之后，其中句读，也熟得可以背诵默写，于是可以不必打开碑帖，把它背临下来。除了正课用功之外，无论你在晚上记零用账，或在早上写家信，只要是你拿起墨笔来的时候，所写的字只要是帖上所临习过的话，就非得背出来不可。若是觉得有错误或者背不出的笔画和结构，不妨打开帖来查对一下。像这样随时留心，进步便自然而然非常之快。

下次我准备讲执笔问题，执笔问题，实在是书学中的一个紧要关键。关于本讲方面，现在将碑帖目录简要地选写一些出来，在附注里略述我的意见，以备诸位参考。

刘彦和说："夫才有天资，学慎始习，斫梓染丝，功在初化，器成彩定，难可翻移。"学习者初无定识，倘使不走正路，喜欢旁门侧径，自欺欺人，到日后，痛悔正恐不及呢！

昔人云："魏晋人书，无蹊径可寻，唐人敛入规矩，始有门径可循。而魏晋风流，一变尽矣。然学魏晋，正须从唐人。"予谓从欧、虞、褚三家上溯钟、王，正是此路。楷法自以欧、虞为最难。凡学一家书，先以一帖为主，守之须坚。同时须收罗置此一家之各帖，以备参阅。由楷正而及行、草，以尽其变化，见其全貌，得其全神，此为最要。世俗教子弟学书，老死一帖，都不解此。譬如观人于大庭广众之间，雍容揖让，进退可度，聆其言论，可垂可法。又观其燕居独处，种种作止语默，正精神流露处，方得其全也。

至大楷冠冕，南朝当推崇《瘞鹤铭》之峻爽；北朝当推崇《郑道昭》之宽阔，小楷方面则须学唐代以上。因学者入手，不宜从小字，故不复例举。

李邕书如干将莫邪，自言："学我者病，似我者死。"其书如《端州石室记》，应属楷正。《云麾将军李思训碑》、《李秀残碑》、《岳麓寺碑》,俱赫赫著名,都属行楷。其他如《少林寺戒坛铭》、《灵岩寺碑》,知名稍次。其余行草尺牍见阁帖中。初学入手,从李终身,不复能作楷正。其流弊为滑、为俗、为懒惰气,故不入目录中。

复翁附识　　楷正参考碑帖目录

朝代：隋

《龙藏寺碑》：此碑为欧、褚之先声而未拘于法度。

丁道护《启法寺碑》：无六朝余习，为欧、褚先河。《苏孝慈墓志》：学欧、褚可参考。

智永《千字文》：智永所书《千字文》有多本，正草相对，其书有法度，但偏于阴柔方面。

《董美人墓志》：紧密深秀而微病拘。

欧阳询《姚辩墓志》：学欧书之辅，可资参看。

朝代：唐

欧阳询《皇甫君碑》、《虞恭公温彦博碑》、《姚恭公墓志》：此三种与姚辩墓志一样，皆为学欧书之辅，可资参看。至于正书《千字文》与《黄叶和尚碑》皆系伪充。《九成宫醴泉铭》：结体较散，不及《化度》紧密，而规矩方圆之至。学欧入手由此，转而学《化度寺》。《化度寺邕禅师舍利塔铭》：欧书极则。结体极紧。其他欧书尺牍行楷见阁帖中，草书有《千字文》，能用方笔。

虞世南《孔子庙堂碑》：虞书之极则。有二本：山东城武本，元至元间所刻；陕西长安本，宋王彦超所重刻。今印本最佳者为有正所印临川李氏藏唐拓本。日本书道博物馆所藏二本可旁参。《孔祭酒碑》，学虞书者所仿，甚秀。《昭仁寺碑》，虞早年书或是王叔家书。行书尺牍见阁帖十九行。行楷《汝南公主墓志》，疑属米老狡狯，然秀丽非凡。

褚遂良《孟法师碑》：褚书冠冕。骨力最胜，体力最端重。学唐人书由此入，比欧、虞更少流弊。《房梁公碑》、《伊阙佛龛记》、《倪宽赞》：以上三种，学褚者俱可参阅。《伊阙》字最方大，略见板滞，《倪宽赞》多笔病。《三藏圣教序》：有同州本、雁塔本两种。同州本严正，雁塔本放逸。学褚由此入手，转写《孟法师碑》，旁参《龙藏寺碑》。临王有绢本兰亭真迹，其他行楷尺牍见阁帖中。《枯树赋》也为米老用力之帖。

《善才寺碑》：此碑据考证系魏栖梧书，亦为学褚者旁参之资料。

薛稷《信行禅师碑》：薛书极少传世，阁帖中亦仅有孙权一帖传是薛书。

欧阳通《道因法师碑》：书法茂密，学大欧从小欧入，北碑最示门径。

张旭《郎官石柱记》：结体气息在一般唐楷之外，然其深而有力则不及欧、虞老到，功夫之异也。

敬客《王居士砖塔铭》：学欧书若呆板时，可检阅或临写三、五通，以其体势飞动，可豁心目，然不必专学，学之易入甜媚一路。

颜真卿《浯溪中兴颂》、《茅山玄靖先生广陵李君碑铭（并序）》、《颜氏家庙碑》、《郭家庙碑》、《扶风孔子庙碑》、《颜勤礼碑》、《东方朔画像赞》、《元结碑》、《麻姑仙坛记》、《广平文贞公宋璟碑》：楷正颜书少韵味，取其气魄大，学者须去其病弊（见第七讲“书病”）。颜书流传碑版最多，如《多宝塔感应碑》实类经生书吏之书，极工整，而科举时代多尚之，实同《干禄字书》。余如《八关斋会报德记》、《鲜于氏离堆记》、《竹山记游诗》、《谒金天王神祠题记》等，皆可参阅。行书如《送刘太冲叙》、《三表》、《争座位》、《告伯》、《祭侄稿》、《蔡明远》、《马病》、《鹿脯》诸帖。《告伯》、《祭侄》、《竹山记游》等，日人有真迹影印本。《麻姑仙坛记》为颜书楷正之最佳者。余如《李元靖》、《颜氏家庙》、《郭家庙》、《颜勤礼》诸碑及《东方朔赞》均需参临。

柳公权《玄秘塔铭》、《李晟神道碑》：学柳书须去其病弊（见第七讲“书病”）。《金刚经》、《魏公先庙碑》：若论习气少则《金刚经》实胜《玄秘塔》。

裴休《圭峰定慧禅师碑》：《玄秘塔》以学者多，面目愈见俗气，学柳不如以此为主而旁参诸帖。此碑书者裴休疑为柳公权代笔。

徐浩《大证师碑》、《不空和尚碑》：徐书甜俗，行书为龙城石刻等。

殷令民《裴镜民碑》：书在欧、褚之间。

王知敬《卫景武公李靖碑》

薛稷《升仙太子碑阴》：有钟绍京、薛稷、相王旦等书。又《武后游仙篇》薛稷书。

窦臮《景昭法师碑》

张从申《茅山玄靖先生李含光碑》：行楷。

第三讲　执笔问题

写字要用笔，正像吃菜要用筷子一样，怎样去执笔，这问题又正和怎样去用筷子一样。拿捻筷子来比喻执笔，有些人不免要好笑，但是我正以为是一样的简单和平凡。我国从古以来吃饭夹菜用筷子，我们从小就学捻筷子，因为民族的习惯和传统的关系，你不会感到这是一件成问题的事。但是，欧洲人初到中国来，看见这般情形，正认为是一种奇迹。那些“中国通”学来学去，要学到用筷子能和中国人一样便利，也要费相当的时间。

固然，字人人会写，菜人人会夹，但是同样初学写字的人，就未必人人都能写得好；初学捻筷的人，也未必人人都能夹得起菜来。这难道不是事实么？同样是一双筷子，同样是一支毛笔，我们初学执笔，何尝不像欧洲人初学捻中国筷子一样困难。诸位同学何尝不会捻筷子，但菜在筷头没有搬到饭碗上，有时也会掉下来的。可见得虽然说筷子会捻了，有时却仍未得法。所以我在选帖问题之后就得讲执笔问题了。

南朝《瘞鹤铭》　　北魏《郑文公碑》

上面已说过，执笔是简单而平凡的事，但是世界上就是简单而平凡的事最为重要。譬如说，吃饭和大便，岂非简单而又平凡么？但是吃不下饭和大便不通又将如何呢？我们无时不在空气中生活，空气虽然看不见，但失去了空气人便不能生存下去了；其他如水和火、盐和油，不也都是简单而平凡的东西么？但在我们生活中哪一样可以缺少呢？书学中执笔问题的重要性，正同水和火、盐和油以及空气在人们生活中的重要性一样。一般人写字，对执笔法的不注意，正和我们生活在空气中而不注意空气的存在一样。要字写得好而又不明执笔法，也就等于胃口不开，大便不通，在健康上是大有问题的。

“要学写字，先要学执笔”，这是晋代卫夫人讲的话，她是在书学上最早讲起执笔的一个人。其后，在唐代讲的人更多。在唐以后，亦代代有论列，互相发明，议论纷繁，这里姑且不去详征博引。总之，执笔的大要不外乎“指实掌虚，管直心圆”八个字。指实是在讲力量，掌虚是在讲空灵；管直心圆是在求中锋，说来也是简单而平凡不过的一件事。唐代孙过庭《书谱》论书法，特提出“执”、“使”、“转”、“用”四个字，议论分析得很好。“执谓浅深长短之类”，便是此刻所欲讲的；“使谓纵横牵掣之类”、“转谓勾环盘纡之类”，我归入第五讲的运笔问题中；“用谓点画向背之类”，我归入于第六讲的结构问题中。

现在讲执笔问题。执笔是重在一个执字，笼统说是以手执笔。但从显见方面，分别关系来讲，应分肘、腕、指三部。指的职在执；腕的职在运。写大字须悬肘，习中字须悬腕，习小字可枕腕；中字仍以悬肘为目的，小字仍以悬腕为目的，此纯为初学者言。丰道生曰：“不使肉衬于纸，则运笔如飞”，这是天然的事实。至于执笔关系，最近是指的部位，现在先看图片，以便再加说明。

根据图片的执笔方法如图一：

大指、食指、中指第一关节之前部分捻住笔管，无名指的背部——指甲与肉相交处抵住笔管，小指紧贴无名指的后面，不要碰到笔管，指与指中间不使通风。从外望到掌内的指形，正如螺蛳旋形层累而下。大指节骨须撑出，使虎口成圆形。切近桌案，掌中空虚，好像握了一个鸡蛋。这样便能锋正势全，筋力平均，运用灵活，也便是所谓五指齐力、八面玲珑了。

五指齐力，虽然力都注在一根笔管上，但是五指的运用，各有不同。李后主（煜）的八字法解释得很好，现在说明如下：

擫：大指上节下端，用力向外向右上，势倒而仰。

压：食指上节上端，用力向内向右下，此上二指主力。

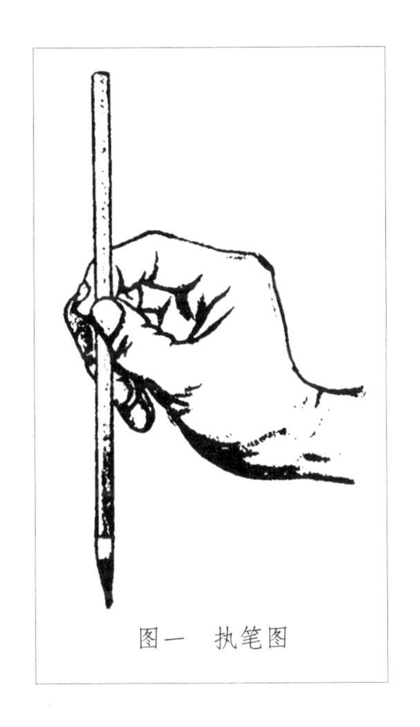
图一　执笔图

勾：中指指尖勾笔，向下向左内起，体直而垂。

揭：名指背爪肉际，揭笔向上向右外起。

抵：名指揭笔，由中指抵住。

拒：中指勾笔，由名指拒定，此上二指主转运。

导：小指引名指过右。

送：小指送名指过左，此上一指主往来。

上面“擫、压、勾、揭、抵、拒、导、送”八字法，说执运之理很精，它的形状，即古人所谓的“拨镫法”。“拨镫”二字，有二个解释，其一：“镫”是马镫。用上法执笔，笔既能直，那么虎口就圆如马镫。脚踏马镫，浅则容易转换，手执笔管，亦欲其浅，浅则易于拨动了。所以这个执笔法，以马镫来比方，名叫拨镫。另一说是：“镫”字解作油灯之灯。

执笔的姿势，仿佛用指执物，如挑拨灯芯一样。

执笔的高低也是极有讲究的。从前卫夫人说："真书去笔头二寸一分（一作一寸二分）。若行、草书，去笔头三寸一分（一作二寸一分）。"王右军有"真一、行二、草三"之说。虞永兴《笔髓》言："笔长不过六寸，一真、二行、三草"，这是约言执笔去笔头的远近。我以为我们正不必去考究古今尺寸的不同，因为这种说法，听起来似乎很精密，实在是很含糊的，因为他们并没有说出所写字的大小。字的大小和书体的不同，根本上就和执笔的高下有关系。执笔高下问题，其中有自然定律，正和写大字须悬肘、写小字可枕腕一样。唐张怀瓘云："执笔亦有法，若执浅而坚，掣打劲利，掣三寸而一寸着纸，势有余矣。若执笔深而束，牵三寸而一寸着纸，势已尽矣。"元代郑杓说："寸以内，法在掌、指；寸以外，法兼肘、腕"，正是此意。简单地说，小楷执笔最低；中楷高些；大楷又高些。行书、草书的大小，也是如此比例。也就是说，枕腕的字执笔最下；悬腕的字执笔高些；悬肘的字执笔最高。

上面是说执笔高低的原则——天然定律，但执笔总以较高为贵。但在书体方面说，行、草宜高；真、楷不宜高，致失雍重。

此外，执笔的松紧和运指也应注意，太松太紧，过犹不及。因为太松了，笔画便没有力；太紧了笔画便欲泥滞而不灵活。昔人有误解一个"紧"字的，说是好像要把笔管捏碎一般才对，真是笨伯。作字须要用全身之力，这个力字，只是一股阴劲，由背而到肘；由肘而到腕；由腕而到指；由指到笔；由笔管而注于笔尖，不害其转动自如。倘使说要把笔管捏碎，那是把力停滞在笔管而不注到笔尖上去了。至于运用方面，前人说："死指活腕"；又有说："当使腕运而指不知"。这二句话，稍有病语，也得解释明白：写大字要运肘，是不消说的，但写字时运动的总枢纽却是在腕，说"死指"、说"指不知"，那么全身之力又如何能够通过指而到笔尖呢？上面的八字法又应当怎样讲呢？所以

“死指”与“指不知”的说法，应当活读，死读便不对了。他们之所以要如此讲法，正是因为一般人写字时指头太活动了，太活动的结果，点画便轻飘浮浅而不能沉着。因为矫枉的缘故，所以便说成“死指”和“指不知”了。其实，指何会真死得，何曾真不知呢？死与不知，正好比一个聪明人听人家说话，自己肚里明白，嘴巴上不说，态度上不显出来罢了。姜白石《续书谱》云：“执之欲紧，运之欲活。不可以指运笔，当以腕运笔。执之在手，手不主运；运之在腕，腕不主执。”这些话，总算讲得很灵活了。他并不说“死指”或“指不知”，而意中是戒以指主运。他所说的“紧”字，正如张怀瓘所说的一个“坚”字，“紧”和“坚”决不是后人所谓的好像要把笔管捻碎。诸位如果还不明白，我再来一个譬方：你看霓虹广告的字，面子上一个个笔画清楚，一笔笔断的断连的连，实际上没有一笔不连，没有一个不连的。如果真的断了，电流不通，便会缺笔缺字。写字的一股阴劲，正好比电流一般，如果通到腕为止，中间隔了五指，那么力如何会到笔管笔尖上去呢？以指运笔之说，似乎始于唐人的《翰林密论》，大概其时作干禄中字，取以悦目。至苏东坡作书，爱取姿态，所以有“执笔无定法，要使虚而宽”的说法，以永叔能指运而腕不知为妙。其实指运的范围，过一寸已滞。苏东坡的论书诗有云：“貌妍容有颦，璧美何妨椭。”康有为讥谓：“亦为其不足之故。”孙寿以“龋齿堕马为美，已非硕人颀模范矣”，可谓确论。

至于写榜书的揸笔，不适用上面所说的拨镫法，应当把斗柄放在虎口里，手指都倒垂，揸住笔斗，臂肘的姿势也是侧下方才有力。

执笔和肘腕指法的名称繁多，我觉得都是不关重要的，徒乱人意。讲得对的，我们作字时也本能暗合，正不必说出来吓人。上面所述各点，正是最为主要的，我们能够记住照做就够好的了。

最后，我特别欲请诸位同学注意的是，照上面所说的执笔法，实行起来诸位一定要叫苦。第一，手臂酸痛；第二，指头痛；第三，写的字要成为清道人式的锯边蚓粪，或是像戏台上的杨老令公大演其抖功。写的字反而觉得比平时自由执笔的要坏。那么，奉劝诸位忍耐些，三个月后酸痛减，一年以后便不抖。我常有一个比方：我们久未上运动场去踢球或赛跑，一朝来一下子，到明天爬起来，一定会手足酸软无力，骨节里还要疼痛，全身不大舒服。而那些足球健将和田径赛的好手不但没有酸煞痛煞，反而胳膊和腿上都是精壮的茧子肉，胸部也是特别发达，甚是健美。所以要坚持一下，功到自有好处。

此外，身法须加注意，所谓身法，便是指坐的姿势。坐要端正，背要直，胸前离案约有四寸左右，两脚跟须着地。程易田讲书求很精："书成于笔，笔运于纸，指运于腕，腕连于肘，肘连于肩。肩也、肘也、腕也、指也皆运于其右体者也。而右体则运于其左体。左右体者，体之运于上者也。而上体则运于其下体，下体者两足也，两足着地，拇踵下勾，如屐之有齿，以刻于地者，然此谓下体之实也。下体之实矣，而后能运下体之虚，然上体亦有其实焉者，实其左体也。左体凝然据几与下二相属焉。于是以三体之实而运其右一体之虚。于是右一体者，乃至虚而至实者也。夫然后以肩运肘，以肘而腕而指，皆各以其至实而运其至虚。虚者其形也，实者其精也。其精也者，三体之实，所融结于至虚之中者也。乃至指之虚者又实焉。古老传授，所谓搦破笔管者也。搦破管矣，指实矣，虚者唯在于笔矣。虽然笔也，而顾丽于虚乎，其实也故力透于纸之背。惟其虚也，故精浮乎纸之上。其妙也，如行地者之绝迹。其神也，如凭虚御风，无行地而已矣！"

第四讲　工具问题

书法的工具，不消说，便是文房四宝了——纸、墨、笔、砚。平常讲到四宝，总是说湖笔、徽墨、宣纸、歙砚。这是因为那些地方的人，从事于做那些工业，出产多，品质好，应用最普遍而著名的缘故。并非说国内除四地之外,不产纸墨笔砚。

初学写字,大楷用浅黄色的原书纸(七都纸),小楷用毛边、竹帘或白关纸。总之,宁使毛些、黄糙些,不必求纯细、洁白,白报纸、有光纸等,均不相宜。至于水油纸,等于古代的所谓硬黄纸,那是摹写所用。废报纸可以拿来利用习榜书。初学字的毛病是滑,所以忌用光滑而不留笔、不吸墨的纸类。

我国书画家所用的纸,大别为生纸、熟纸两大类。生的纸,纸性吸墨;熟的纸,纸性不吸墨。普通所用白纸,因为出于安徽宣城,所以统称宣纸。其名目有六吉单宣、夹贡等,都属于生纸。煮硾、玉版则归入熟纸类。其他如冀北迁安县所出之迁安纸,有厚、有薄、有黄、有白。它的质料多棉,近高丽茧纸,俗名皮纸,亦名小高丽。北方人用厚的一种来糊窗,其实于书画皆相宜,不过质地稍粗而已。倘使把它改良了应用,一定很出色的。又福建纸极细洁,但较薄些,拿来写字作画也很好,就是因为交通关系,江南较少见,以上亦属于生纸。至于像蜡笺、粉笺、冷金笺、扇面纸等矾过的或拖色的可统归为熟纸。熟纸光洁而多油,落笔前须经揩拭过。矾重的,往往毛得不吃墨。国外产品,如高丽纸,古名茧纸,拿来作书作画,落笔皆很舒服,坚韧经久,向来视为珍品,但现在出品的已不及从前。另有细薄的一种,从前用来印书的,现在已不见了。日本纸极有佳品,惟质地稍松脆,不经久,流通亦少。至于我国历史上有名的笺纸,像唐代的薛涛笺、宋代的澄心堂纸、元代的罗文纸、明末的连七奏本大笺等,现在绝迹了(罗文、奏本市上所有,但纸质已非)。便是清代的各种仿古笺,现在也很少见到,颇是名贵。

书画家对于纸的考究,自与其他三种工具相同。倘使心手双畅,纸墨相发,兴会便亦不同。若不得佳纸,即使有好砚磨好墨,好笔好手,仍为之失色。《笔道通会》云:“书贵纸笔调和,若纸笔不称,虽能书亦不能善。譬之快马行泥泽中,其能善乎?”孙过庭以“纸墨相发”为一合,“纸墨不称”为一乖。而又曰:“得时不如得器”,可见其关系之重要了。

墨的大别也为二类：一种是松烟；一种是油烟。普通的都是油烟，油烟墨书画都相宜。松烟墨仅宜于写字，但墨色虽深重却无光泽，并且一着了水容易渗化。科举时代用以写卷册，取其乌黑。自从海通之后，制墨都用洋烟，便是煤烟。制煤者贪价廉工省，粗制滥造，虽在初学者无妨采用，但品质粗下，实不宜书画。

清 琴式墨

古代制墨，每代都有名家。但到了现在，明以前的已不可见了。明代如程君房、方于鲁诸人的制墨，现在尚得看见，惟赝品每多。又古墨原质虽好，倘使藏得不好，走胶或散断之后，重制亦便不佳。有些有古墨癖好的人，喜欢收藏，但自己既不是用墨的人，又不能“宝剑赠烈士”，只是等待其无用而已，实是可惜。目下乾隆时的好墨可应实用，颇为难得。至乾隆以前，保藏不好的已不堪应用了。

古墨坚致如玉，光彩如漆。辨别古墨的好坏，《墨经》上有几节论得很精：“凡墨色紫光为上，黑色次之，青光又次之，白光为下。”

凡光与色不可废一，以久而不渝者为贵，然忌胶光。古墨多有色无光者，以蒸湿败之，非古墨之善者。黯而不浮，明而有艳，泽而有渍，是谓紫光。凡以墨比墨，不若以纸试墨，或以砚试之、以指甲试之皆不佳。凡墨击之，以辨其声：醇烟之墨，其声清响；杂烟之墨，其声重滞。若研之辨其声，细墨之声腻，粗墨之声粗，粗谓之打砚，腻谓之入研。

凡墨不贵轻，语曰："煤贵轻，墨贵重。"今世人择墨贵轻，甚非。煤粗则轻，煤杂则轻，春胶则轻，胶伤水则轻，胶为湿所败则轻，惟醇烟、法胶、善药、良时，乃重而有体，有体乃能久远，越久越坚。

普通墨的最大坏处，是胶重和有砂钉。胶重滞笔，砂钉打砚。以光彩辨古墨好坏的方法，也可应用到市上较好的墨。还有一种辨别墨质的方法：用辨别墨质粗细的方法辨别好坏。便是磨过之后，干后看墨上有无细孔，孔细孔大，亦可分别它们的精粗。

磨墨用水，须取清洁新鲜的。磨时要慢，慢了就能细，正像炖菜时须用文火一样。古人论磨墨说："重按轻推，徐徐盘旋。"又说："磨墨如病。"真形容得很妙。

作书用墨，欧阳询云："墨淡即伤神采，绝浓必滞锋毫。"但古人作书，没有不用浓墨的，不过不是绝浓。又宋代苏东坡用墨如糊，他说："须湛湛如小儿睛乃佳。"明末的董思翁以画法用墨，那是用淡的，初写时气馥鲜妍，久了便黯然无色。不过他的得意作品，也没有不用浓墨的。行、草书的用墨与真书不同，孙过庭的《书谱》上说："带燥方润，将浓遂枯。"姜白石的《续书谱》上说："燥润相杂，润以取妍，燥以取险。"这一方面是笔势上的关系。

笔的分类，大别可分为三类，即硬、软和适中。拿取材来说，在取用植物方面的有竹、棕和茅。在取用动物方面有：人类的须及胎发；兽类的有虎、熊、猩猩、鹿、马、羊、兔、狐狸、貂、狼等的毫毛及猪鬃、鼠须；禽类方面的有鸡、鸭、鹅、雉、雀之毛。拿竹、棕、茅、须、发、鸡、鸭、鹅、雉、雀毛来制笔，都不过是作为好奇，或务为观美，既不适实用，自

董其昌淡墨书法　　董其昌浓墨书法

然也不会通行。所以讲到一般的笔材来源，只在兽毛了。软笔只有羊毫一种。除羊毫以外，虎、熊、猩猩、马、鹿、豕、狐狸、狸、貂、狼等毫毛及猪鬃、鼠须等都属于硬的一类。不硬不软的一类，便是羊毫和兔、狼等毫的一种混合制品。社会上一般所用的笔，大概不外乎羊、兔、狼毫三种，现将较为通用的各种兽毛分别说明如下：

熊毫：硬性次于兔毫，可写大字榜书。

马毫：只可制揸笔，写榜书用。

猪鬃：每根劈为三或四，可以写尺以外字。

兔毫：俗称紫毫，最大可写五六寸字。

鼠须：功用同兔毫，近代有此笔名，无此实物。其实即猫皮的脊毛。

狼毫：狼毫即俗称黄鼠狼的毛，大者可写一尺左右的字。

鹿毫：略同狼毫，微硬。

狐狸毫：《博物志》蒙恬造笔，狐狸毫为心，兔毛为副。

狸毫：唐书欧阳通以狸毛为笔，覆以兔毫。

羊毫：羊须亦制揸笔，只宜于榜书，爪锋书小字。

自唐以前，多用硬笔，取材狸、兔、狼、鼠。羊毫虽创始于唐，它的行盛，当始于宋代。

取兽毛的时节，必须在冬天。兽毛的产地，北方又胜于南方。因为冬腊的毛，正当壮盛时期。北方气候寒冷，地气高爽，故毛健而经用。南方多河沼，地卑气润，毛性柔弱易断。

“尖、齐、圆、健”，是笔的四德。制笔每代有名家，论制笔的，唐代有柳公权一帖，颇为扼要。包世臣的《记两笔工语》很精辟。

普通临习用笔，须开通十分之五六，用过后必须洗涤。洗涤时，不可使未开通的十分之四五着水，否则两次一用便开通了。一开通后腰部便没有力。用笔蘸墨的程度

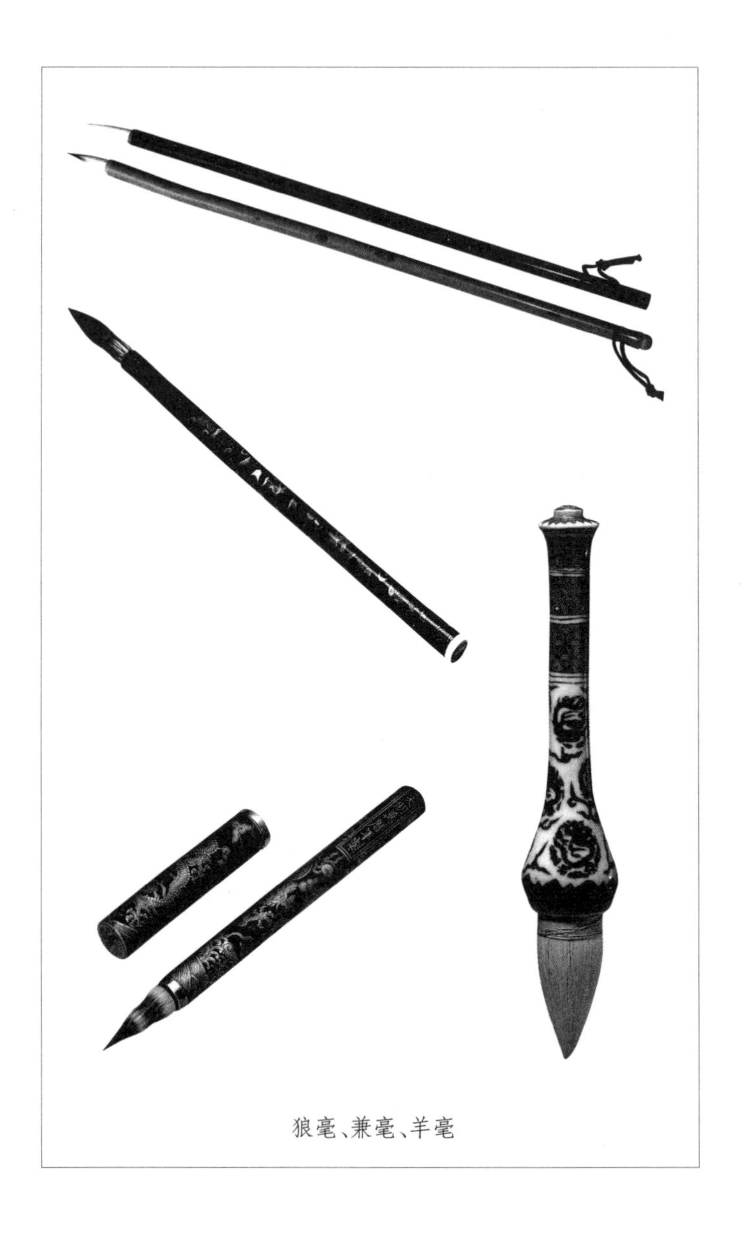

狼毫、兼毫、羊毫

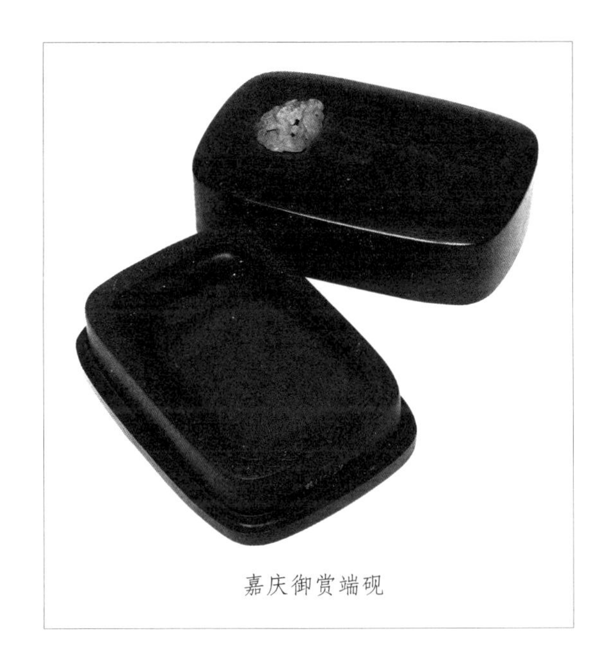

嘉庆御赏端砚

也不可太过。王右军云：“用笔着墨不过三分，不得深浸，深浸则毫弱无力。”此说似乎笔须开得很少，但笔头少开也应该看写字的大小，若中、大楷一笔一蘸墨，决不可为训。若小楷蘸墨过饱，也不能作字，此中宜善为消息。

笔与纸的关系，不外是“强笔用弱纸，弱笔用强纸”两语，这是刚柔相济之理。就用笔的本身而论，我以为软笔用其硬，硬笔用其软，也是很能体现出一个人的功力的。

作字用笔关系之大，我常比之将军骑马。若彼此不谙性情，笔不称手，如何得佳。米元章谓笔不称意者如“朽竹篙舟，曲箸捕物”，此颇善喻。

砚材有玉、石、陶、瓦、砖、瓷、澄泥等类，形式也不一而足。普通的都是石砚，石类中大别为二，一是端石，二是歙石。端石出广东端州，歙石出安徽歙县。玉、陶、瓦、砖各类，或系装饰，或系古董好玩，不切实用，现在不去说它。便是石类中的端石，好的既不多见，且很名贵。专门研究端石的，有吴兰修著的《端溪砚史》颇为详备。

我人用砚，既得备“细、润、发墨”四字条件的，不论端歙，总之已经是上品了。

用砚必须每日洗涤，去其积墨败水，否则新磨的墨，既没有光彩，砚与笔也多有损害。洗砚须用冷水、清水，拿莲房剥去了皮擦最妙，用海绵、丝瓜络亦好。

四宝之外，与学书最有关系的是九宫格。九宫格的创始在唐代，因为唐人作书是专讲法的。旧制九宫格的划法共八十一格，看了使人眼花。清代金坛蒋勉斋骥，重定九宫共三十六格，较为省便，纵横线条，又有变种，见下图：

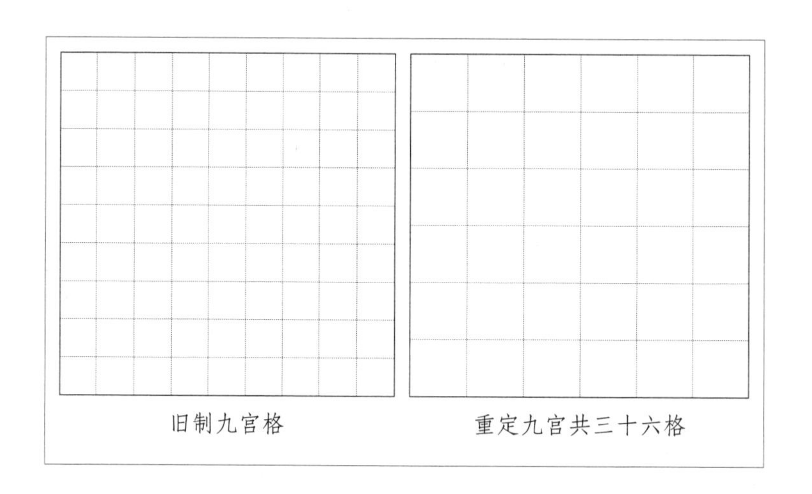

旧制九宫格　　重定九宫共三十六格

蒋氏于撇捺的写法，另用加两斜线的方格，可名之为“个”字格。他有说明：“盖下之字，左右宜乎均分，法界四方格作十字，以半斜界划两角。学者作盖下字，撇与捺之意，俱在墨线上。如：会、合、金、舍等字，字头用意不离此法，自无过、不及之弊矣。”

近时社会上所用的九宫格，实比蒋氏重定的更为减省，一名小九宫，实可称为“井”

字格。现将另一种通行之米字格同录于下。

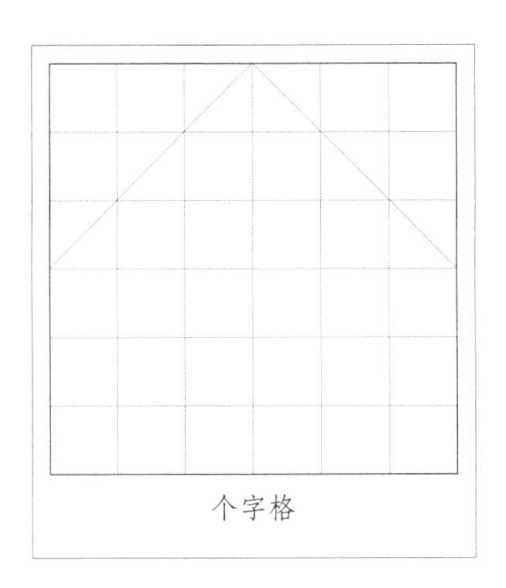

个字格

今人俞建华本蒋氏之法，再加减省，定为十六格，上下用二重斜线，最为进步。他对于蒋氏的批评及应用九宫格的意见，说得明白透彻，再好没有：蒋氏之法虽较简便，但仍嫌其繁复。盖写字之结构固应研究，然并无确切不移之法则。试取各家之书较之，此长而彼短者有之，此大而彼小者有之，各家不同，而俱不失为佳字。即使一人之书，前后亦不能一律，如《兰亭》“之”字，有十八个，而个个不同，极变化之能事，古人反侈为美谈。由此可知，结构虽有普通之法则，无绝对之标准。若亦步亦趋，丝毫不可出入，则书法变为印板，既乏笔意，又无生趣，阻碍书法之进步，莫此为甚。今为初学者说法，仅使其知有规矩，使其知运规矩之方法则可矣。至其如何深造，如何成家，悉听其自己之探讨。如此，则庶不致汩没天才，而使天才豪迈之书家，不受束缚，不受压迫，自由发挥，其卓然成家，越过古人，不难也。较之拘拘为辕下羁中之驹，只能为古人之奴隶者，相去岂只天渊哉。今既不欲学者过受束缚，而又不欲学者过事奔放，而于初学之时能助其画平竖直，步入轨道者，爰本蒋氏之法再加省减，定为十六格，其格式如下：

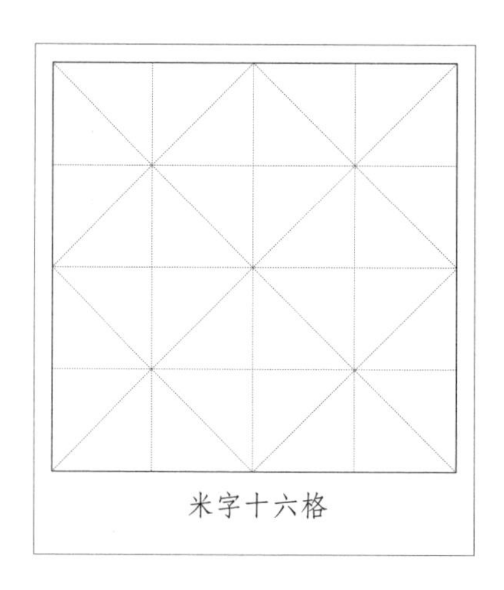

米字十六格

此法不但可用于临摹字帖，更适于自书。初学笔画，每不知置于何处，且竖画不直，横画不平，配合不匀，左右不等。今用此格以写字，若稍加注意，则诸弊可免。例如：横画可照横格书之，竖画可照直格书之，斜画可照斜格书之，自能矫正其不平不直等之病。例如："一"字可占当中一横画；"二"字可占上下二横画；"三"字、"五"字则可占上、中、下三横画，不但笔画可平，且配置亦易。"十"字适为中线之交点；"干"二横一竖、"王"三横一竖、"丰"字之上一笔斜度，亦易表明。至于"才"、"木"、"米"、"东"等字之撇捺可按下方之两对角线书之，则左右自易相等。"今"、"俞"之人字盖，可用上方之两对角线。"吝"、"琴"则可利用下方之二对角线。"日"、"月"、"目"、"耳"等窄长字则可只用两格。而"日"、"目"之短者，则只用中四格足矣，

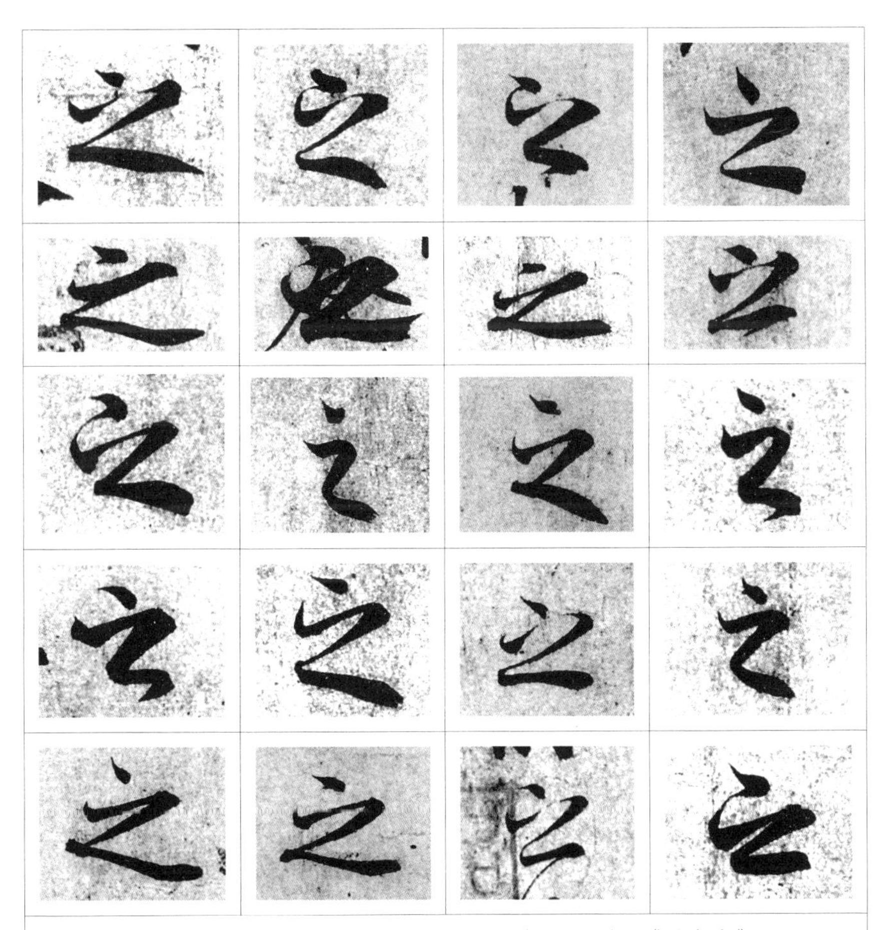

结构虽有普通之法则，但无绝对之标准，如王羲之《兰亭序》中的“之”字，个个不同，极变化之能事。

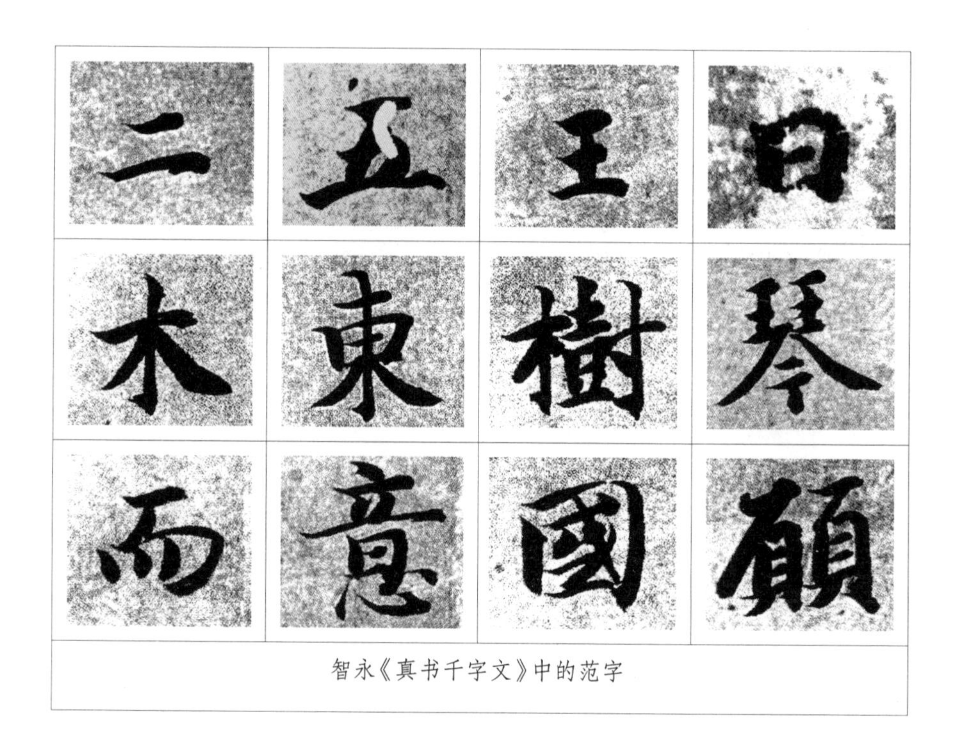

智永《真书千字文》中的范字

“口”、“曰”等扁小者亦然。“周”、“国”等方而大之字，则充满全格，其四周之笔，务须写在四周之格内。至于两拼相等之字，如“門”、“辅”、“願”、“林”则每半个字占两格，而以中线为界。“谢”、“树”等字三匀之字，则中字占中格，两旁之字占两旁之格。“鋈”、“需”等二段者，则以中横线为界。而三停之“章”、“意”、“素”、“累”等字，则每停占一格。至如写隶字，以隶字多扁，可省去上下两格。小篆则瘦长，可省左右两格。《石鼓》之方者如“[illegible]”、“[illegible]”等占满格。《钟鼎》之方者，如《散氏盘》之“[illegible]”，则用格长者。如《颂鼎》之“[illegible]”，《王孙钟》之“[illegible]”，《甲骨》之“[illegible]”，则只用中两格够了。由此类推，神而明之，可以应用于各种字体。

不过我们须注意一点：初学子弟，对于习字用纸，没有不知用九宫格的。但是他们的用九宫格纸却等于不用，因为他们的帖上并无九宫格，既无从对照，就失去了其效用。最好的方法可依所临字的大小，将九宫格画在玻璃上或明胶纸上，使用时将玻璃或明胶纸放在帖上，临一个字移动一个字，那就非常便利了。至于已有相当程度的人，于某字或屡写不得其结构者，觅古人佳样，亦可用此法取之。

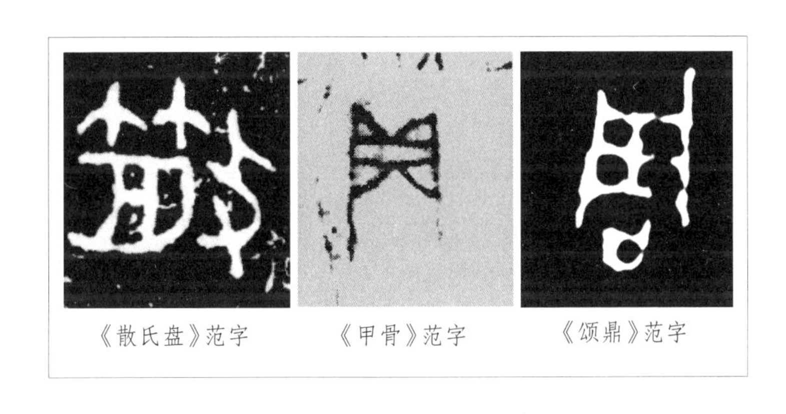

《散氏盘》范字　　《甲骨》范字　　《颂鼎》范字

第五讲　运笔问题

今天所讲的是关于运笔问题，本问题包括笔法、墨法两项。笔法是谈使转；墨法是谈肥瘦。使转关于筋骨，筋骨源于力运；肥瘦关于血肉，血肉由于水墨。而笔法、墨法的要旨，又尽于“方”、“圆”、“平”、“直”四个字。方圆于书道，名实相反，而运用则是相成，体方用圆，体圆用方。又画欲平、竖欲直，说来似乎平常，实是难至。

本来在书学上笔法二字的解释，其涵义的分野，古人不大分别清楚。全部——包括孙过庭所创的“执”、“使”、“转”、“用”四个字在内的含义，大部分须靠学者的天才、学力上的悟性去领解，几乎不大容易在嘴巴里清清楚楚地讲出来，或是从笔尖下明明白白地写下来。历史上记载，钟繇得蔡邕笔法于韦诞，既尽其妙，苦于难以言传。他曾经说：“用笔者天也，流美者地也，非凡庸所知”，三句话就完了。此外如卫夫人也说：“自非通灵感物，不可与谈斯道。”不差，孟子也曾经说过：“大匠能与人规矩，不能使人巧。”书学上的点划与结构，正好比规矩，是可以图说的；而这个“巧”字倒是很抽象，是属于精神和纯熟的技术方面的，是无从图说的。因此，玄言神话，纷然杂出，初学者既感到神秘万分，俗士更相信此中必有不传之秘。其实呢，“道不远人”，又正好应着孟子所谓“子归而求之，有余师”的一句话。钟繇、卫夫人的谈话是老实的，种种托于神话的故事，亦无非是表示非常慎重而已。试看，王羲之说：“夫书者，玄妙之技也，自非达人君子，不可得而述之。”又说：“书弱纸强笔，强纸弱笔；强者弱之，弱者强之。迟速虚实，若轮扁斫轮，不徐不疾，得之于心而应之于手，口所不能言也。”鲁公初问笔法要义于张长史，长史曰：“倍加工学临写，书法当自悟耳。”孙虔礼云：“夫心之所达，不易尽于名言。言之所通，尚难形于纸墨。”释辩光云：“书法犹释氏心印，发于心源，成于了悟，非口手所传。”

对于一辈有心而没有天才，或者有天才而学力未至的学者，因为悟性与学诣程度的悬殊，有时却苦于无从说起，倒不是做老师的矜持固闭。一方面，又正恐聪明学者的自误，不肯专诚加功，于是托于神话，出于郑重。而对于一辈附庸风雅，毫无希望，来意不诚的闲谈客人，不高兴噜苏，只好冷淡对之，乐得省省闲话了。除此之外，也有附骥之徒，托师门以自重，说道曾得某师指教笔法，而某师得之某名家，以自高身价者，此又作别论。

因此，如《法书要录》所载，传授笔法，从汉到唐，共二十三人。又别书所载，不尽相同的传授系统说法，只可资为谈助，并不能像地球是圆的、父亲是男的一样可信。固然，那不同的系统中人物，都是历代名家，又大都是属于自族父子、亲戚、外甥、故旧门生。因为有一点诸位可以相信：“就有道而正焉”，古人的精神，正和我们一样，“君子无常师”，他们每个人的老师，也何止一个人呢。

今世所传古人书论，从汉到晋这一时期中，多属后人托古，并不可靠。但虽属伪托，或者相传下来，并非绝无渊源，其中精要之语，千古不刊，不能就因为伪托而忽视，所以，现在丢开考证家的观点来讲。

现在，言归正传。孙过庭“执”、“使”、“转”、“用”四字的创说，比昔人笼统言“笔法”、“用笔”、“运笔”分析得大为进步，所以，我为了讲演明了起见，取来分属三讲：第三讲的执笔问题（执谓浅深长短之类），本讲的运笔问题（使谓纵横牵掣之类，转谓勾缳盘纡之类），第六讲的结构问题（用谓点画向背之类）。

本讲以运笔问题包举笔法、墨法。一则因为笔墨关系，本属相连。再者，古人书论，亦多属二者并举。在三讲中引前或不引后，亦正须同学们前后参看的地方。

“夫用笔之法，先急回后疾下，如鹰望鹏逝。”讲笔法最早的是秦丞相李斯。李斯说：“信之自然，不得重改。”元代赵孟坚所谓：“文章精到尚可改饰，字画落笔，更不容加工，求以益之，适以坏之。”正是阐明此意。到后汉蔡邕的《九势》说得更为具体，他说：“藏头护尾，力在字中。”又解释藏头说：“圆笔属纸，令笔心常在点画中行。”这便是后世“折钗股”、“如壁坼”、“屋漏痕”、“锥画沙”、“印印泥”、“端若引绳”一类话之祖，也便是观斗蛇而悟笔法的故事的理由。后世各家卖弄新名词、创新比喻、造新故事，其实都不出老蔡的这八个字。他又解释护尾说：“画点势尽力收之。”这又是米老“无往不收，无垂不缩”两句名言所本。蔡邕所谓“藏头护尾”，我觉得篆隶应当如此，楷正用笔也是如此。这样看来，后世各家的议论，尽管花样翻新，正好比孙悟空一筋斗十万八千里路，却终于跳不出如来佛的手掌。

元代董元直的《书诀》，集古人成说，罗列甚全，一向公认为书法的最高原则。现在我摘录其关于笔法者，诸位可作一对比。

无垂不缩：谓直下笔，既下渡上，至中间垂直，则垂而头圆。又谓之垂露，如露水之垂也。

无往不收：谓波拨处，既往当复回，不要一拨便去。

如折钗股：圆健而不偏斜，欲其曲折圆而有力。

如壁坼：用笔端正，写字有丝连处，断头起笔，其丝正中，如新泥壁坼缝，尖处在中间，其布置之巧。

如屋漏痕：写字之点，如空屋漏孔中水滴一点圆，正不见起止之迹。（云间按：屋漏痕，如屋漏水于壁上之痕，言其痕之委婉圆润，非只言漏水点滴。）

如印印泥，如锥画沙：自然而然，不见起止之迹。

左欲去吻：左边起笔，不要多嘴。

右欲去肩：右边转角，不要露肩，古人谓之"暗过"。

线里藏针：力藏在点画之内，外不露圭角。东坡所谓"字外出力中藏棱"者也。

种种说法，无非为伯喈八字下注解。唐代徐铉工小篆，映日视之，书中心有一缕浓墨正当其中，至曲折处亦无偏侧，即此可见其作篆用笔中锋之至。

从来讲作字，没有不尚力的。可见这一种力如果外露，便有兵气、江湖气，而失却了士气。字须外柔内刚，东坡所谓"字外出力"不过是形容多力，不可看误。米襄阳作努笔，过于鼓努为力，昔贤讥为"仲由未见孔子时习气"，此语可以深味。书又贵骨肉停匀，肥瘦得中。否则，与其多肉不如多骨。卫夫人《笔阵图》中有几句名言："下笔点画波掣、屈曲，皆须尽一身之力而送之，若初学，先大书，不得从小。……善笔力者多

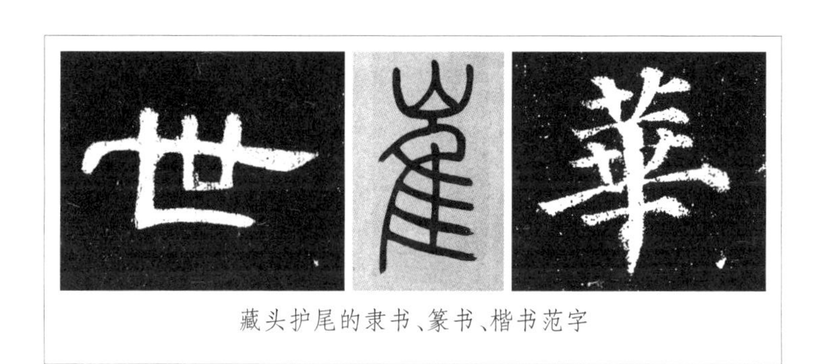
藏头护尾的隶书、篆书、楷书范字

骨，不善笔力者多肉。多骨微肉者谓之筋书，多肉微骨者谓之墨猪。多力丰筋者圣，无力无筋者病。”她又解说心手的缓急、笔意的前后说：“有心急而执笔缓者，有心缓而执笔急者，若执笔近而不能紧者，心手不齐，意后笔前者败。若执笔远而急，意前笔后者胜。”

现再剌取名家议论录于下：

王僧虔云：“……浆深色浓，万毫齐力……骨丰肉润，入妙通灵……粗不为重，细不为轻，纤微向背，毫发死生。”

梁武帝云：“纯骨无媚，纯肉无力，少墨浮涩，多墨笨钝。”

虞世南云：“用笔须手腕轻虚……太缓而无筋，太急而无骨，侧管则钝慢而肉多，竖管直锋，则干枯而露骨。终其悟也，粗而能锐，细而能壮，长者不为有余，短者不为不足。”

欧阳询云：“每秉笔，必在圆正重气力，当审字势，四面停匀，八边俱备。……最不可忙，忙则失势；又不可缓，缓则骨痴。瘦乃戒枯，肥即质浊。”又云：“肥则为钝，瘦则露骨。”

孙过庭云：“……假令众妙攸归，务存骨气，骨气存矣，而遒润加之……”

徐浩云：“初学之际，宜先筋骨，筋骨不立，肉何所附。用笔之势，特需藏锋，若不藏锋，字则有病，病且不去，能何有焉。”又云：“作书筋骨第一，鹰隼乏彩而翰飞戾天，骨劲而气猛也；翚翟备色而翱翔百步，肉丰而力沉也。……若藻耀而高翔，则书之凤凰矣。”

张怀瓘云：“夫马筋多肉少为上，肉多筋少为下，书亦如之。若筋骨不任其脂肉，在马为驽骀，在人为肉疾，在书为墨猪。”又云：“方而有规，圆不失规。圆有方之理，方有圆之象。”

韩方明《授笔要诀》，述其所师徐璹之言有曰：“夫执笔在乎便稳，用笔在乎轻健。故轻则须沉，便则须涩，谓藏锋也。不涩则险劲之状无由而生，太流则便成浮滑，浮滑则是为俗也。”

姜白石云：“用笔不欲太肥，肥则形浊。又不欲太瘦，瘦则形枯。不欲多露锋芒，露则意不持重。不欲深藏圭角，藏则体不精神。”又云：“下笔之际，尽仿古人，则少神气。专务遒劲，则俗病不除。所贵熟习精通，心手相应，斯为美矣。”又云：“迟以取妍，速以取劲，必先能速，然后为迟。若素不能速而专事迟，则无神气；若专务速，又多失势。”

丰道生云：“书有筋骨血肉，筋生于腕，腕能悬，则筋脉相连而有势。骨生于指，指能实，则骨坚定而不弱。血生于水，肉生于墨，水须新汲，墨须新墨，则燥湿调匀，而肥瘦适可。”

于此，不能不特别一提的是“八法”。社会上称赞人家善书，总是说精工八法。八法的由来，便是智永所传的“永字八法”，历代学书者对此都颇为重视。唐代的李阳冰说：“王羲之攻书多载，十五年偏攻永字。”而前人认为很神秘的作传授笔法系统，他们所称的

笔法,从羲之以后,似乎也就是指这个八法。什么是永字八法呢?现在说明如下:

丶 (一)点为侧,如鸟翻然侧下。

𠂊 (二)横为勒,如勒马之用缰。

亅 (三)竖为努,用力也。

亅 (四)挑为趯,跳貌与跃同。

亅 (五)左上为策,如策马之用鞭。

永 (六)左下为掠,如篦之掠发。

永 (七)右上为啄,如鸟之啄物。

永 (八)右下为磔,裂牲谓之磔,笔锋张开也。

李阳冰说逸少十五年偏攻永字,有无根据,不得而知。但凭我的猜测,书而讲法,莫过于唐人。当时不知哪位肯用功的先生,找出一个笔画既少,而笔法又比较不同的“永”字来,想以一赅万,又托始于一个王羲之的七世裔孙——大书家智永和尚,于是流传起来,足以增重,人家也便相信不疑了。一到宋人,遂入魔道,宋人已自非之。如黄鲁直云:“承学之人,更用《兰亭》永字,以开字中眼目,能使学家多拘忌,成一种俗气。”董广川亦云:“如谓《黄庭》清、浊字,三点为势,上劲、侧中、仰下,潜挫而趯锋。《乐毅论》燕字,谓之联飞,左揭右入。《告誓文》容字,一飞三动,上侧、左竖、右揭,如此类岂复有书耶?又谓一合用、二兼、三解撇、四平分,如此论书,正可谓唐经生等所为字,若求之于此,虽逸少未必能合也。今人作字既无法,又常过是,亦未尝求于古也。”真可谓一针见血,如此论书,坐病正同古文家、词章家的批注,试问作者初何曾求合于此。

今人李公哲,对“永”字八法加以批驳,颇具理由:“古人论书,多以永字八法为宗,取其侧、勒、努、趯、策、掠、啄、磔等八法具备。二千年来死守成规,莫逾此例。窃以为大谬不然者。如‘心’字之弧画,属于‘永’字何笔?固为八法所无,其缺憾之处此其一。永字第一笔之点为一法，第二、三、五笔之画，虽横竖不同，笔势原属一法；第四笔之趯为一法；第六、七笔之撇亦同是一法；第八笔之捺是一法，共成五法，所谓八法，只有五法，此其二。点有侧正，勒有平斜，趯有左右，撇有趋向，捺有角度，所谓八法者，若论笔之本法，则嫌太多；若言笔之变法，又嫌其太少，其未合逻辑明矣，此其三。……”

李先生所谈的三点都是事实。古人举出笔画少而笔法多的“永”字，总算不容易，不必说“大谬不然”。所大谬不然者，是后人拘于死法，愈注释，愈支离，于道愈成玄妙难懂。相传如唐太宗的《笔法诀》，张长史的《八法》，柳宗元的《八法》，张怀瓘的《玉堂禁经》，李阳冰的《翰林密论》，陈绎曾的《翰林要诀》，无名氏的《书法三昧》，李溥光的《永字八法》以及清人的《笔法精解》等等，指不胜屈，虽每间有发明，然论其全部，合处雷同，不合处费词立名，使学者目迷五色，钻进牛角尖里去，琐琐屑屑，越弄越不明白，实是无益之事。

如果丢开“法”不说，我却注意到一点，为一般所忽略的，便是永字八法的形容注释，全是在讲一个“力”字，正如相传卫夫人的笔阵图，欧阳询的八法，着眼处并未两样。

此外，我所欲言的，是笔法应方圆并用的。世俗说，虞字圆笔，欧字方笔，这仅就迹象而言，是于书道甘苦无所得的皮相之谈。用笔方圆偏胜则有之，偏用则不成书道。明项穆说：“书之法则，点画攸同；形之楮墨，性情各异。犹同源分派，共树殊枝者，何哉？资分高下，学别浅深。资学兼长，神融笔畅，苟非交善，讵得从心？”

至于学书先求“平正”，诸位休小觑了这二个字。“横平竖直”真不是易事。学者能够把握“横平竖直”，实在已是了不起的功力。我们正身而坐，握管作字，手臂动作的天然最大范围是弧形的一线，从左到右所作横画容易如此；右上作直画容易如此；左下其势也如此。我常说，一种艺事的成功，不单是艺术本身的问题，“牡丹虽好，绿叶扶持”，条件是多方面的，天资、学识、性情尤有不同。就艺术本身来讲，诸位听了我讲的运笔问题，我相信决不至于一无所得。但即使在听了以后能完全领会，在实际方面不能说“我已经能运笔”。所以，真正的领会，必须在“加倍工学临写书法”之后，而且一定要等到某一程度以后，然后才能体验到某一点，并且见到某一点，那是规律，绝难勉强。

关于运笔问题，古人精议，略尽于此，学者能随时反复体会，就可以受用不尽了。

第六讲　结构问题

现在讲到结构问题。结构就是讲点画、位置、多少、疏密、阴阳、动静、虚实、展促、顾盼、节奏、回折、垂缩、左右、偏中、出没、倚伏、牡牝、向背、推让、联络、藏露、起止、上下、仰覆、正变、开阖之次序，大小长短之类聚，必使呼应，往来有情。广义一点讲，关于行间章法，都可以包括在内。结构以一个字言，好比人面部的五官；以行间章法言，好比一个人的四肢百骸，举止语默。

我们看见五官有残疾或不端正的人，除了寄予同情之外，因为过于触目诧异，或者觉得可怕，或者觉得可笑。或者是因为他的猥琐、他的凶恶，使你觉得此人面目可憎。或者像破落户、有烟瘾的人所穿垢腻且皱的绸袍子，把喉头的纽扣扣在肩膀上。或者像窭人暴富，欲伍缙绅，一举一动，一言一笑，处处不是。或者像壮士折臂、美人眇目。这与作字的无结构，不讲行间章法所给予人的印象何异！从前《礼记》上说：“体不备，君子谓之不成人。”作字不讲结构，也便是不成为书。

赵子昂云：“学书有二：一曰笔法，二曰字形。笔法不精，虽善犹恶；字形不妙，虽熟犹生。”冯钝吟云：“作字惟有用笔与结字。用笔在使尽笔势，然须收纵有度；结字在得其真态，然需映带均美。”是的，初学作字，先要懂得执笔，既然懂得了执笔，便应进一步懂得运用，运用懂得之后，然后再学习点画体制。扬雄说："断木为棋，刓革为鞠，皆有法焉。"书法的神韵种种，在学者得之于心，而法度必资讲学。康有为说："学者有序，必先能执笔，固也。至于作书，先从结构入，画平竖直，先求体方。次讲背向、往来、伸缩之势，字妥帖矣。次讲分行布白之章法，求之古碑，得各家结体章法，通其疏密、远近之故。求之各书法，得各家秘藏验方，知提顿方圆之用。浸淫久之，习作熟之，骨肉、气血、精神皆备，然后成体。体既成，然后可言意态也。"

古人讲结构，往往混入于笔法，如陈绎曾的《翰林要诀》、无名氏的《书法三昧》、李溥光的《永字八法》等，实在是当时馆阁所尚，虽有精要处，而死法繁多，使人死于笔下，学者不去考究，何尝不能暗中相合。至于张怀瓘的《玉堂禁经》、李阳冰的《翰林密论》，比以上三种虽较高些，但徒立名目，越讲得多，越讲不完全，越使学者觉得繁难。王应电讲书法点画，分为十法，近人卓定谋别为九法，将我国所有各种字体、笔画基础归纳在内，然在普通应用，无甚关系。

卫夫人生当乱世，她感到书法的须用筋力，实同于战阵，于是创《笔阵图》，将楷书点画分为七条：

（一） 一 如千里阵云，隐隐然其实有形。

（二） 丶 如高峰坠石，磕磕然实如崩也。

（三） 丿 如陆断犀象。

（四） ㇏ 如百钧齐发。

（五） 丨 如万岁枯藤。

（六） ㇏ 如崩浪雷奔。

（七） ㇆ 如劲弩筋节。

到了欧阳询再加一笔"乚"，遂成为八法。

（一） 丶 如高峰之坠石。

（二） ㇄ 如长空之新月。

（三） 一 如千里之阵云。

（四） 丨 如万岁之枯藤。

（五） ㇂ 如劲松倒折，落挂石崖。

（六） ㇆ 如万钧之弩发。

（七） 丿 如利剑断犀象角。

（八） ㇏ 一波常三过折。

这种说明，都是外状其形，内含实理。学者于临池中有了相当的功夫，然后方能够体会。

近人陈公哲，列七十二种基本笔画，颇为繁细，虽是死法，然于开悟初学，尚属切实可取。可以将其笔画与字样、举例对看一遍。

清蒋和的《书法正宗》，论点画殊为详尽，虽亦都属于死法，然初学者却都可以参考。其内容分：(甲)平画法，(乙)直画法，(丙)点法，(丁)撇法，(戊)捺法，(己)挑法，(庚)勾法，(辛)接笔法，(壬)笔意，(癸)字病。（字病于第七讲中引到。）

又王虚舟、蒋衡合辑的分部配合法，笔画结构取用欧、褚两家，可以参阅。

讲结构而先讲点画偏傍，正如文字学方面的先有部首一样。亦正是孙过庭所谓"积其点画，乃成其字"的意思。等点画、偏傍明白了，循序渐进，再配合结构。蒋和所著，大法颇备，学者正宜通其大意。

以上所举陈、蒋、王等所著的参考资料，在已有成就的书家看来是幼稚的，或不尽相合的，但在初学入门却是有用的。执死法者损天机，凡是艺术上所言的法，其实是一般的规律，一种规矩的运用，所以还必须变化。所以昔人论结构有"点不变谓之布棋，画不变谓之布算子，竖不变谓之束薪”的话，学者所宜深思。

一个人穿衣服，不论衣服的质料好坏，穿上去都好看的人，人们便称之为有“衣架”。反之，质料尽管很好，穿上去总没有样子的，便称为没有衣架。有衣架和没有衣架是天生的，难以改造。至于字的间架不好，只要讲学，是有方法可以纠正的。汉初萧何《论书势》云：“变通并在腕前，文武造于笔下。出没须有停优，开阖借于阴阳。”后汉蔡邕的《九势》中说：“凡落笔结字，上皆覆下，下以承上，使其形势递相映带，无使势背。转笔宜令左右回顾，无任节目孤露。”王羲之《记白云先生书诀》云：“起不孤，伏不寡，回仰非近，背接非远。”欧阳询云：“字之点画，欲其相互接应。”又云：“字有形断而意连者，如：以、必、小、川、州、水、求之类是也。”孙过庭云：“一画之间，变起伏于锋杪；一点之内，殊衄挫于毫芒。”“初学分布，但求平正。既知平正，务追险绝。既能险绝，复归平正。初谓未及，中则过之，后乃通会。”“一点成一字之规，一字乃终篇之准，违而不犯，和而不同。”姜白石云：“字有藏锋出锋之异，粲然盈楮，欲其首尾相应，上下相接为佳。”卢肇曰：“大凡点画不在拘之长短远近，但勿遏其势，俾令筋脉相连。”项穆曰：“书有体格，非学弗知。……初学之士，先立大体。横直安置，对待布白，务求其匀齐方正矣。然后定其筋骨，向背、往还、开合、联络，务求融达贯通也。次又尊其威仪，疾徐、进退、俯仰、屈伸，务求端庄温雅也。然后审其神情、战蹙、单叠、回带、翻藏、机轴、圆融、风度、洒落。或字余而势尽，或笔断而意连。平顺而凛锋芒，健劲而融圭角。引伸而触类，书之能事毕矣。”“书有三戒：初学分布，戒不均与欹；继知规矩，戒不活与滞；终能纯熟，戒狂怪与俗。若不均且欹，如耳、目、口、鼻，开阔长促，邪立偏坐，不端正矣。不活而滞，如泥塑木雕，不说不笑，板定固窒，无生气矣。狂怪与俗，如醉酒巫风，丐儿村汉，胡行乱语，颠仆丑陋矣。又，书有三要：第一，要清整，清则点画不混杂；整则形体不偏斜。第二，要温润，温则性情不骄怒；润则折挫不枯涩。第三，要闲雅，闲则

字之点画，欲其相互接应。字有形断而意连者，如“立”、“以”、“心”之类。此为欧阳询《九成宫醴泉铭》中的书法范字。

用笔不矜持；雅则起伏不恣肆。以斯数语，慎思笃行，未必能超人上乘，定可为卓焉名家矣。”

这些话都是在讲，学书先知点画结构，而后行间、章法、结构。虽亦有时代风气的不同，但是其大纲是可得而言的。欧阳询的三十六条结构法，大概是学欧书者所订，便于初学，宜加体会。

明李淳整理前人所论，演为大字结构八十四法，每取四字为例作论一道，颇足以启发学者。

隋代释子智果《心成颂》，其所言结构精要，多为后人所本，兹录后：

回展右肩：头顶长者向右展，“宁”、“宣”、“壹”、“尚”字是。

长舒左足：有脚者向左舒，“实”、“其”、“典”字是，或谓“个”、“亻”、“木”、“才”之类。

峻拔一角：字方者抬右角，“国”、“周”、“用”字是。

潜虚半腹：画稍粗，于左右亦须著远近、均匀，递相覆盖，放令右虚，“用”、“见”、“冈”、“月”字是。

间开间阖：“無”字四点为上合下开，四竖为上开下合。

隔仰隔覆：“竝”字两隔，“畺”字三隔，皆斟酌二、三字仰覆用之。

回互留放：谓字有磔掠重者，若“爻”字，上住而下放，“茶”字上放下住是也，不可并放。

变换垂缩：谓两竖画，一垂一缩，“并”字右缩左垂，“斤”字左缩右垂是也。

繁则减除：王书“懸”字，虞书“毚”字，皆去下一点。

疏当补续：王书“神”字、“处”字皆加一点。

分若抵背：“卅”、“册”之类，皆须自立其抵背。钟、王、虞、欧皆守之。

合如对目：“八”字、“州”字之类，皆须潜相瞩事。

孤单必大：一点一画，成其独立者是也。

重立仍促：“昌”、“吕”、“爻”、“棗”等字上小；“林”、“棘”、“絲”、“羽”等字左促；“森”、“淼”等字兼用之。

以侧映斜：掔为斜，磔为侧，“交”、“欠”、“以”、“入”之类是。

以斜附曲：谓“く”为曲，“女”、“安”、“必”、“互”之类是。

单精一字，力归自得，向背、仰覆、垂缩、回互不失也。盈虚视连行，妙在相承起伏，行行皆相映带联属而不违背也。

又清人蒋和之全字结构举例，集诸名家讲论，颇为明要，足资学者参考，所以不嫌其复见，引附于末。

宋代姜白石《续书谱》所言，有关结构者：

向背　向背者，如人之顾盼，指划，相揖相背。发于左者应于右，起于上者伏于

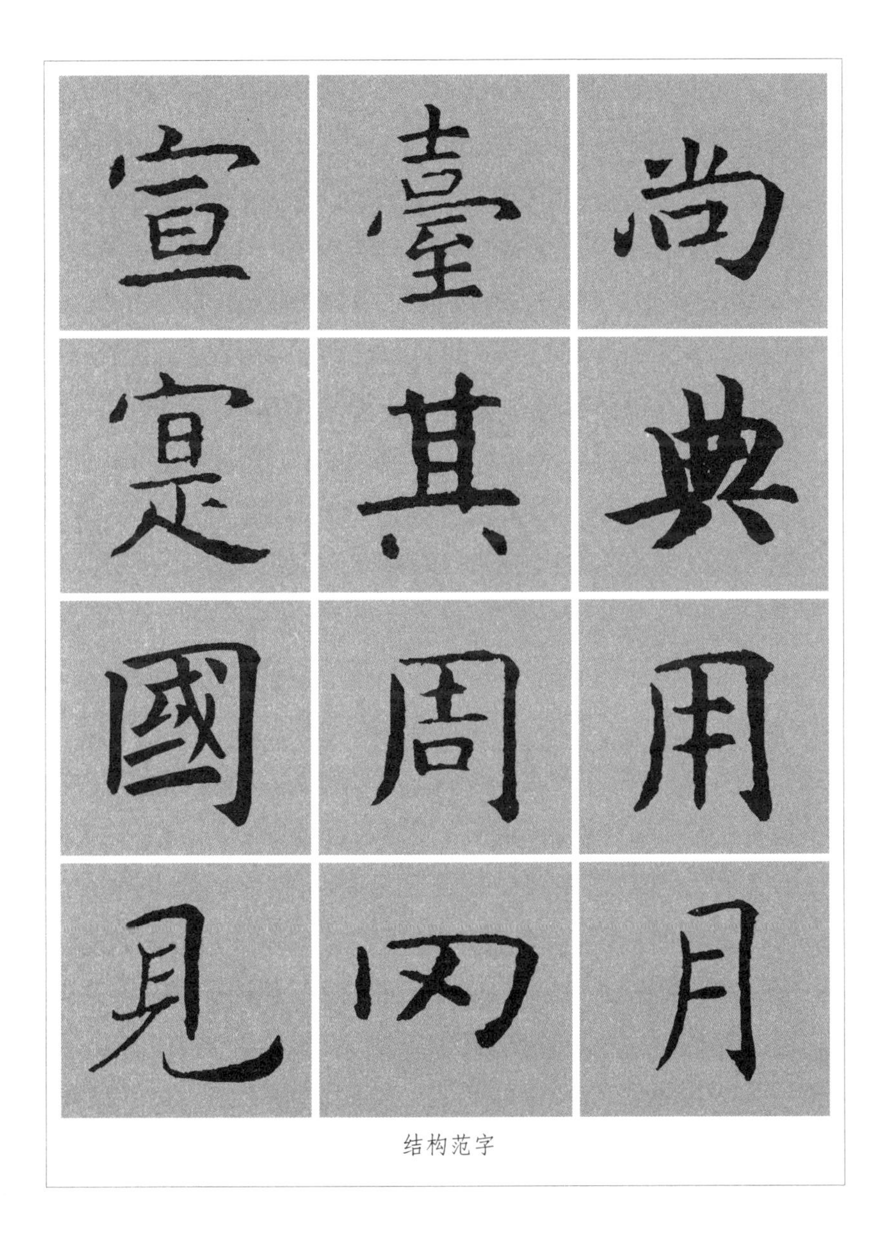

结构范字

结构范字

结构范字

下。大要：点画之间施设各有情理。求之古人，右军盖为独步。

位置　假如“立人”、“挑土”、“田”、“王”、“衣”、“示”一切偏傍，皆须令狭长，则右有余地矣。在右者亦然。不可太密太巧，太密太巧者是唐人之病也。假如“口”字在左者，皆须与上齐，“鸣”、“呼”、“喉”、“咙”等字是也。在右者，皆须与下齐，“和”、“扣”等字是也。又如“宀”头须令覆其下，“走”、“辶”皆须能承其上。审量其轻重，使相负荷；计其大小，使相副称为善。

疏密　书以疏为风神，密为老气。如“佳”之四横，“川”之三直，“魚”之四点，“畫”之九画，必须下笔劲净、疏密停匀为佳。当疏不疏，反为寒乞；当密不密，必至凋疏。

曾文正公曰：“体者，一字之结构。”今人张鸿来以势式、动定二者，分用笔、结字曰：“书之所谓势，乃指其动向而言，此用笔之事也；书之所谓式，乃指其定象言，结字之事也。”

但是，结构是书学上的方法，是艺术方面的技巧，而不是目的。换句话说，便是在书法上的成功，还有技巧以上的种种条件。举例说：文昌帝君、观音菩萨，装塑得五官端正，可以说无憾了，但是没有神气。如果作字在结构上没有问题了，而不求生动，则绝无神气，还不是和泥塑木雕无异？作字要有活气，官止而神行，正如丝竹方罢而余音袅袅；佳人不言而光华照人。所以古人在言结构之外，还要说：“字字需求生动，行行要有活法。”李之仪云：“凡书精神为上，结密次之，位置又次之。”晁补之云：“学书在法，而妙在人。法可以人人而传，而妙在胸中之所独得。”周显宗云：“规矩可以言传，神妙必繇悟入。”都是说明此理，在学问、艺术上说，一个“悟”字关系最大。书法方面的故事如：张旭见公主与担夫争道而悟笔法；又观公孙大娘舞剑器而得其神。试问，舞剑器与担夫争道，于书法发生什么干系？诸位现在当有以语我。

第七讲　书病

书法应俱备的条件，不外乎神气、筋骨、血肉六个大字。三者之中，如果有一方面出现缺陷，作字便有毛病了。

神气二字，是有迹象可说的。譬如有病的人，他的精神气色，自然不会和健康者一样。书法上的神采气脉，亦一望而知。《书谱》上所说的“五乖”和“五合”，便是有病无病的根源。伪造古人墨迹，为何经法眼一看，便立辨真伪呢？原来，当他一心作伪的时候，心中有人，眼前有物，战战兢兢，惟恐失真。落墨动笔，气脉已经不贯，笔墨也不能像自运的随便，因此神采便没有了。书法上讲到神气，本来已是最高的一个阶段，这将在第九讲的《书髓》中谈到。

至于筋骨、血肉，那是有形质可指的，因为筋骨出于笔力，血肉出于水墨。一般毛病的发生，当然是由于不知执、使、转、用。而由于不识人家的毛病，或竟以丑为美，也是极普遍的现象。初学者欲明书病，如果一时难以辨明，可以从字页的背面求之。

由于不知执、使、转、用而来的毛病，昔贤早有举例，如蒋和所著《书法正宗》中所举：（癸）字病（见56页图）。字之有病，大家不免。初学不由规矩，往往满身疾病，不可救药。今兹所举，不过一斑，随时注意，有则改之，无则加勉，瑕疵既去，则完璧可期。

陈公哲的“字病图说”（见57、58、59页图），分析归类，更为明白。

凡以上种种病态的由来，不外笔不正，锋不聚、锋不能逆入、用力不均、顿太重、过太滑、提太速、收太缓，自然有时也因受了用墨的影响。

从前，老前辈拿一部帖子去教子弟临写，往往在字旁边先圈好了朱圈，没有朱圈的字，便教子弟不必去临写。这种选字的工作是合理的，因为即使是一个大书家写的字，也未必个个是好的。同样理由，一个大文豪的文章，或者是一个大诗人的诗，也未必是

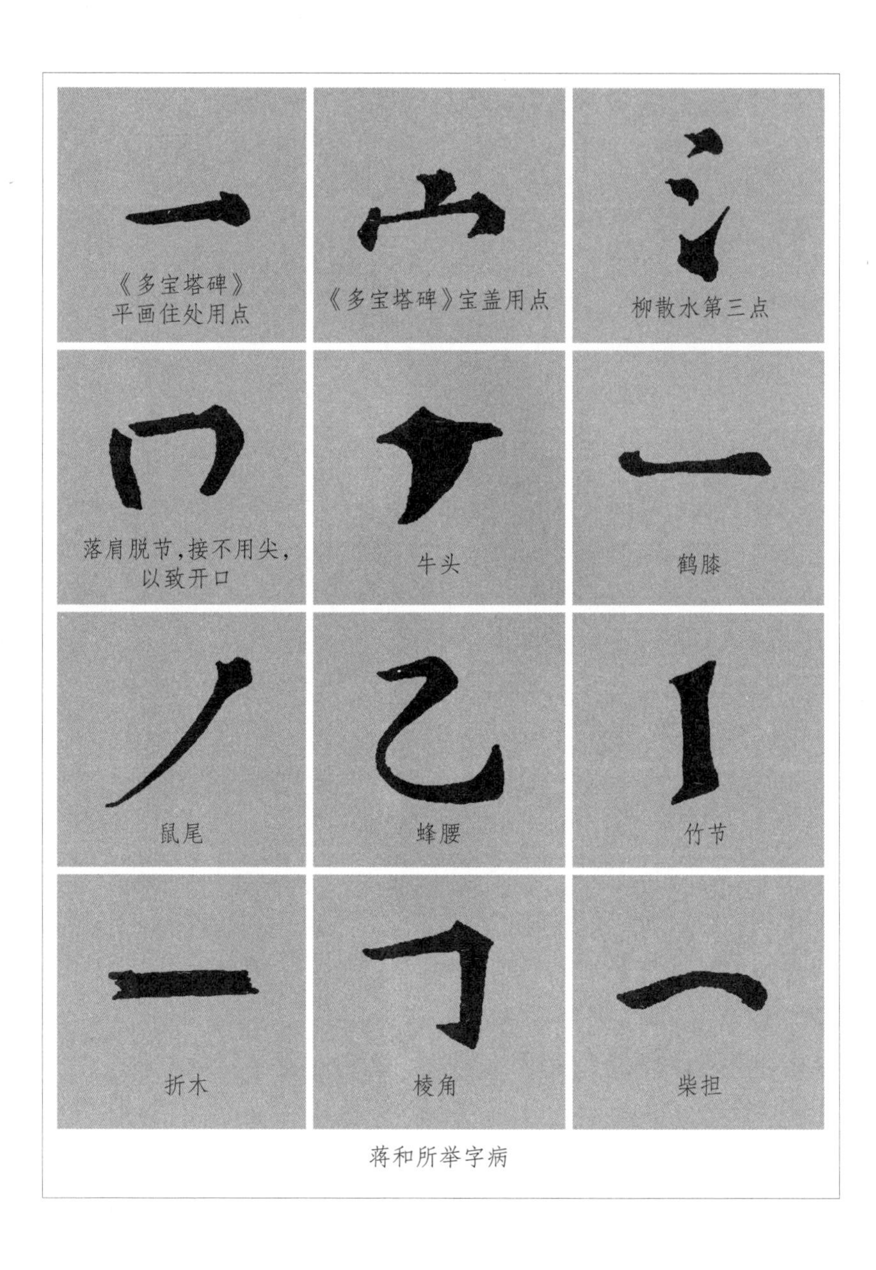
《多宝塔碑》
平画住处用点
《多宝塔碑》宝盖用点
柳散水第三点
落肩脱节，接不用尖，
以致开口
牛头
鹤膝
鼠尾
蜂腰
竹节
折木
棱角
柴担
蒋和所举字病

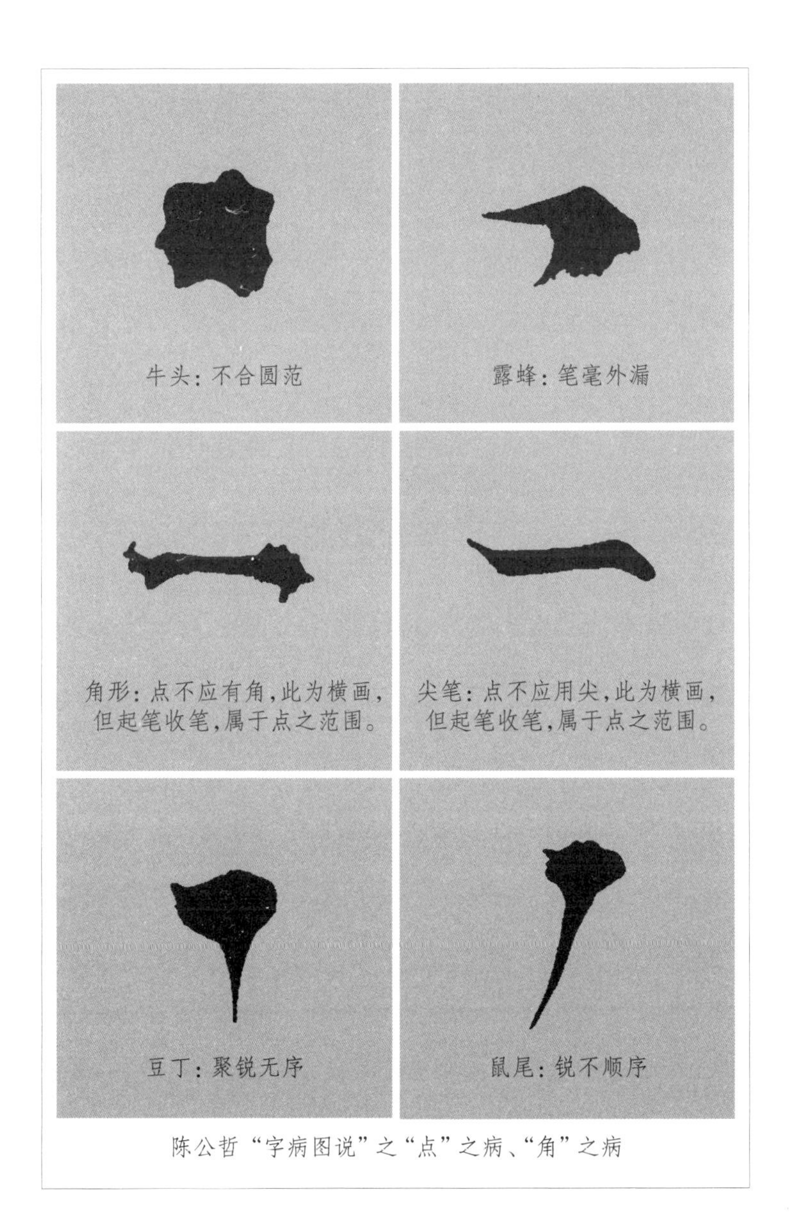

陈公哲“字病图说”之“点”之病、“角”之病

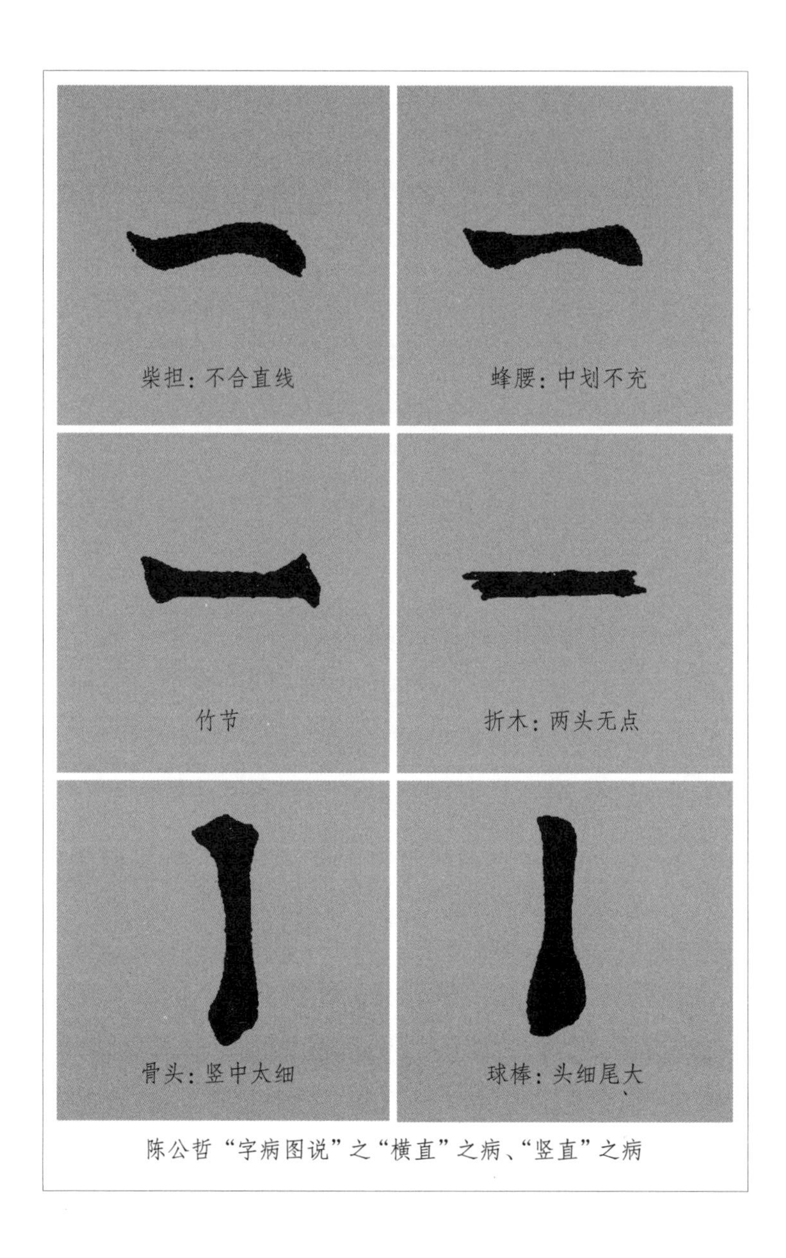

陈公哲“字病图说”之“横直”之病、“竖直”之病

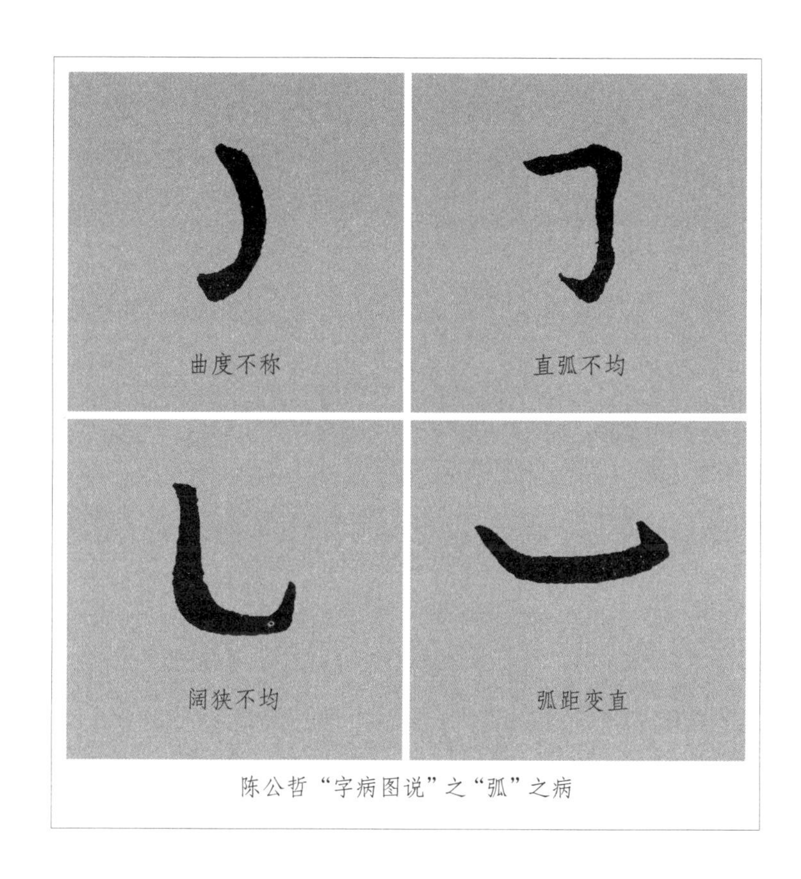

陈公哲“字病图说”之“弧”之病

篇篇都好、首首精采。不过一般老前辈的选字，都注意在结构方面，而忽略了某一家的根本毛病。譬如颜字，宝盖横折点势太重，好像一个人后脑勺上生了一个瘤；一捺的顿后提笔抽笔太快，好像从前老太太的金莲，加上现代摩登女子高跟鞋的后跟；一画的收笔顿笔也太重；一竖钩的回驻势太足。柳字三点水的三点，点势过分拉长，好像世俗所传明太祖画像的下巴。

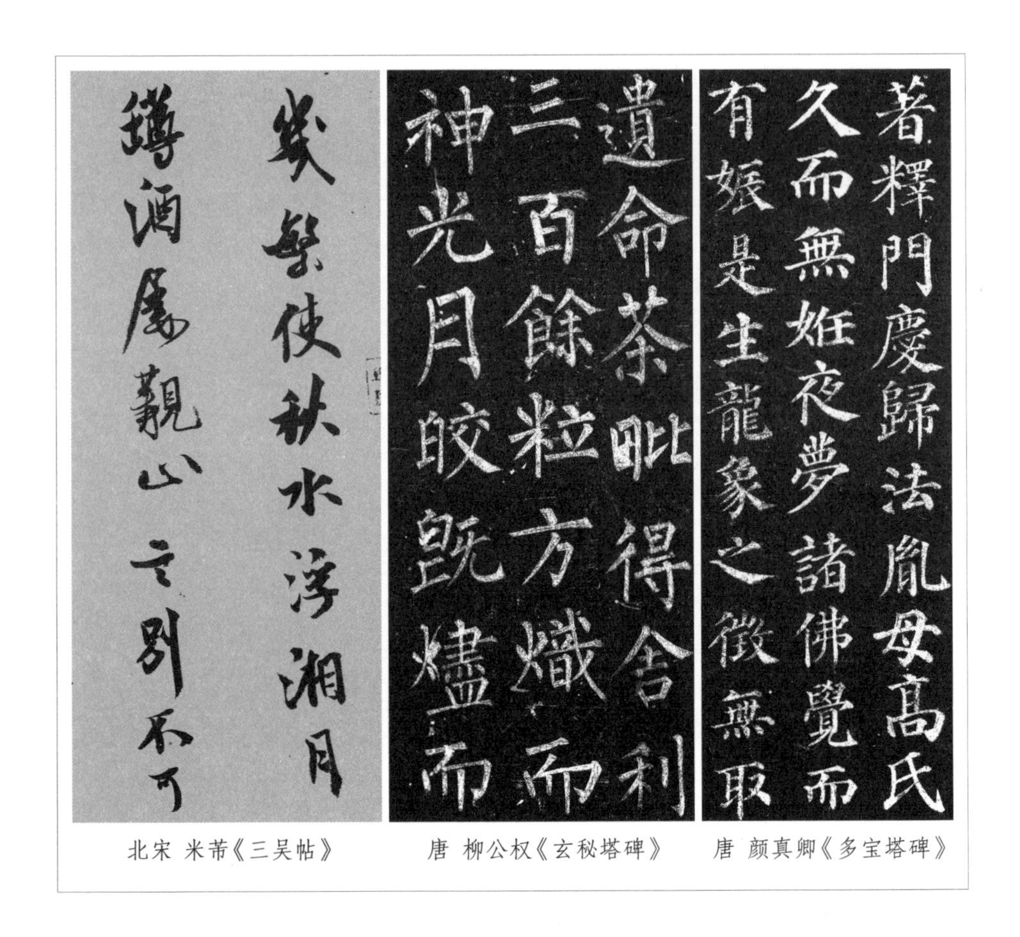

北宋 米芾《三吴帖》　　唐 柳公权《玄秘塔碑》　　唐 颜真卿《多宝塔碑》

李后主讥鲁公书为“田舍翁”。米襄阳云：“颜、柳挑踢，为后世恶札之祖。”又笑不善学颜者的笔墨，称之为“厚皮馒头”。赵孟坚云：“鲁公之正，其流也俗；诚悬之劲，其弊也寒。”黄山谷说：“肥字须要有骨，瘦字须要有肉。古人学书，学其二处；今人学书，肥瘦皆病，又常偏得其人丑恶处。如今人作颜体，乃其可慨然者。”这些话，都道着颜、柳字本身和学者的弊病。世俗不善学颜书的，一般的现象是写得臃肿、秽浊，正如麻疯、丐子；不善学柳书的，写得出牙布爪，亦是一股寒乞相。这都是学者过分地强调了颜、柳体的特点和弊病的缘故。在笔意方面讲也是如此，颜、柳字的“向”意本来已经够明显的了，而学颜、柳者又莫不加以强调和奉承——我上面所谈的“不识人家的毛病”，正是指这等地方，而学者却误以为惟其如此，才见得是颜、柳体。于是学颜字的成“呆字”；学柳字的成“瘤字”，正是认丑为美。黄山谷所以“慨然者”，也正是因为“偏得其人丑恶处”吧。

再拿米芾的字来说，米作竖钩，往往用背意，努势也很过分，“挺胸凸肚”，力用到了笔外，正所谓近于“鼓努为力，标置成体”。于是便见得一股剑拔弩张之气，而学米者却每每又先得此种习气。《海岳名言》云：“字要骨格，肉须裹筋，筋须藏肉，秀润生，布置稳，不俗。险不怪，老不枯，润不肥。变态贵形不贵苦，苦生怒，怒生怪。贵形不贵作，作入画，画入俗，皆字病也。”那么，米字的那种毛病，根据他自己的话来讲，恐怕便是“苦生怒”的证候。又，用指力者，笔力必困弱，欲卧纸上，势实为之，苏字有偃笔之病，正坐于此。现在，再举一些古人所论到的字病。

张怀瓘云：“支体肥腯，布置逼仄，有所不容。棱角且形，况复无象，神貌昏懵，气候蔑然。以浓淡为华者，书之困也，是曰病甚，宜毒药攻之。”又云：“书亦须用圆转，顺其天理，若辄成棱角，是乃病也，岂曰力哉！良工理材，斤斧无迹。”又云：“棱角者，书之弊薄也；脂肉者，书之滓秽也。婴斯病弊，须访良医，涤荡心胸，除其烦愦。”

姜白石云：“书以疏欲风神，密欲老气。如‘佳’之四横，‘川’之三直，‘魚’之四点，‘畫’之九画，必须下笔劲净，疏密停匀为佳。当疏不疏，反成寒乞；当密不密，必至凋疏。”

董思翁曰：“善用笔者清劲；不善用笔者浓浊。”

丰道生曰："今人所喜效而习之者，或云笔墨老硬，或云行间整媚，或云用笔鲜浓。殊不知，老硬者古所谓怒张倾仄，非盛德君子之容也。整媚者，古所谓状如算子，便不是书也。鲜浓者，古所谓无筋无力者，谓之墨猪也。然则今人之所喜，皆古人之所恶；古人之所忌，乃今人之所趋。古今不同，如昼夜寒暑之相反，岂不信然。"

讲到一般俗眼——当然是指未闻书道者，或是指一知半解者，他们有时倒未必是以丑为美，实在是因为功力未到，艺术方面缺乏修养。于是指纤弱为秀美，粗犷为气魄，浮滑为活泼，轻佻为潇散，草率为流丽，装缀为功夫，板滞为规矩，歪斜为姿态，枯蹇为老结。殊不知秀美非纤弱，气魄非粗犷，活泼非浮滑，潇散非轻佻，流丽非草率，功夫非装缀，规矩非板滞，姿态非歪斜，老结非枯蹇。若请我临床处方，那么，我将取筋骨医纤弱，取稳秀医粗犷，取沉着医浮滑，取端厚医轻佻，取谨严医草率，取闲雅洒脱医装缀，取生动勇决医板滞，取平实安详医歪斜，取遒润清洁医枯蹇。

俗眼不知字病，那自不必说。但所谓"通识"者，也真不容易呢！现举引《书谱》中一节："吾尝尽思作书，谓为甚合。时称识者，辄以引示。其中巧丽，曾不留目，或有误失，翻被嗟赏。既昧所见，尤喻所闻，或以年职自高，轻致陵诮。余乃假之以缃缥，题之以古目，则贤者改观，愚者继声，竞赏毫末之奇，罕议锋端之失。"诸位看了，恐怕也不免要笑。其他与字病有关的，我于第三讲的执笔问题、第五讲的运笔问题，及前一讲的结构问题中都已讲到过，诸位如已记不起，可细心在讲义中再翻一翻。

此外，作字的笔画先后有误，亦是病源之一。学者不明于此，容易成为习惯。这种落笔先后的错误，俗名叫做"左丑"，现在采录昔人所举，为初学者容易误者于后，请学者参考，便于自行纠正。

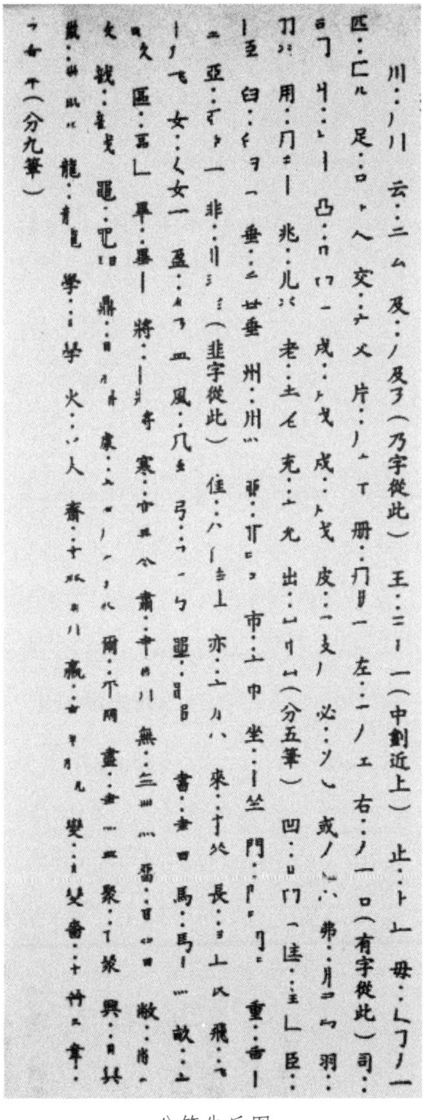

分笔先后图

第八讲　书体

我在第一讲的书法约言中，已约略谈到了我国的书法史——书体的变迁。又因为站在实用的立场和初学书法的基本上之言，所以历次所讲的，都是正楷，也兼带行书。本人对于篆、隶二种书法的观念，认为纯属美术，不是一般的应用。即论它的应用范围，也极狭隘，几乎全在装饰方面，譬如题签、引首、篆盖、题额等等，平时一般人是用不到的。梁庾肩吾仿班固《古今人表》例作《书品论》，集工草、隶（今正楷）者一百二十八人品为九例，以"草正疏通，专行于世"，故于诸体不复兼论。他对于篆、隶二体说："信无味之奇珍，非趋时之急务。"本人的态度也正是如此。自然，诸位如果有更多的空暇和浓厚的兴趣，欲求旁通俯贯，当然不妨去研究。如果因为要表示做一个书家，必须精通四体，好像摆百货摊，要样样货色拿得出，那么，我奉劝诸位正不必贪多。一个人成为书家，能精正、行二体已是了不得，若是贪多，便易患俗语所说的“猪头肉块块不精”的毛病了。诸位看古今社会上所称“精工四体”者，究竟有那一体有他的独到之处？《书谱》云：“元常专工于隶书（即今日之楷正），伯英尤精于草体，彼之二美，而逸少兼之。拟草则余真，比真则长草。虽专工小劣，而博涉多优。”可见有一专长，已是很不容易了。右军书圣，流传下来的也仅见真、行、草呢。说到这里，本人更有一种偏见，从来写篆、隶字的，不论对联、屏、轴等等，年月及上下款，也都是写正、行的。写篆、隶的书家，因为他的正、行功夫总比较欠缺，加上篆、隶二体与正、行的用笔、结体不同，在一张纸面上看起来就大有不调和之感。现时社会上的风雅者，求人书篆联、草联，还要请加跋，用正、行译写联中句子，为书家者也漫应之，颇为有趣。

在这里还有一个值得注意的问题，书学上对于学书向来有二个不同的主张，像学诗、古文辞一样，一是主张顺下，便是依照书体的变迁入手，先学篆而隶而分而正……一是主张先学正楷，由此再上溯分、隶、篆。二者之外，也有圆通先生发表折衷的见解说：学正楷从隶书入手。那么究竟应该怎样才好呢？我的看法是：学诗、古文辞，顺流而下的主张是不错的、科学的；但书学方面的三种主张，似乎都是一个伟大的计划，在实际上却都是无须的。因为这几种书体，除了历史关系之外，在用笔和结体上就很不相同。学书既因实用，而以楷正为主，何必一定要大兜圈子呢？至于最后一种说法，如果学者欲求摆脱干禄、经生、馆阁一般的俗气，以及唐人过分整齐划一而来的流弊，进求气息的高洁雅驯，那么，隶、楷的消息较近，这种说法还具有二三分理由。清代有一个好古的学者，平时作书写信，概用篆书，以为作现在的楷正是不恭敬（其书札见昭代名人册牍），写给小辈或仆辈的乃用隶书，真可谓是食古不化。孙过庭云：“夫质以代兴，妍因俗易。虽书契之作，适以记言；而淳醨一迁，质文三变，驰骛沿革，物理常然。贵能古不乖时，今不同弊。所谓‘文质彬彬，然后君子’。何必易雕宫于穴处，反玉辂于

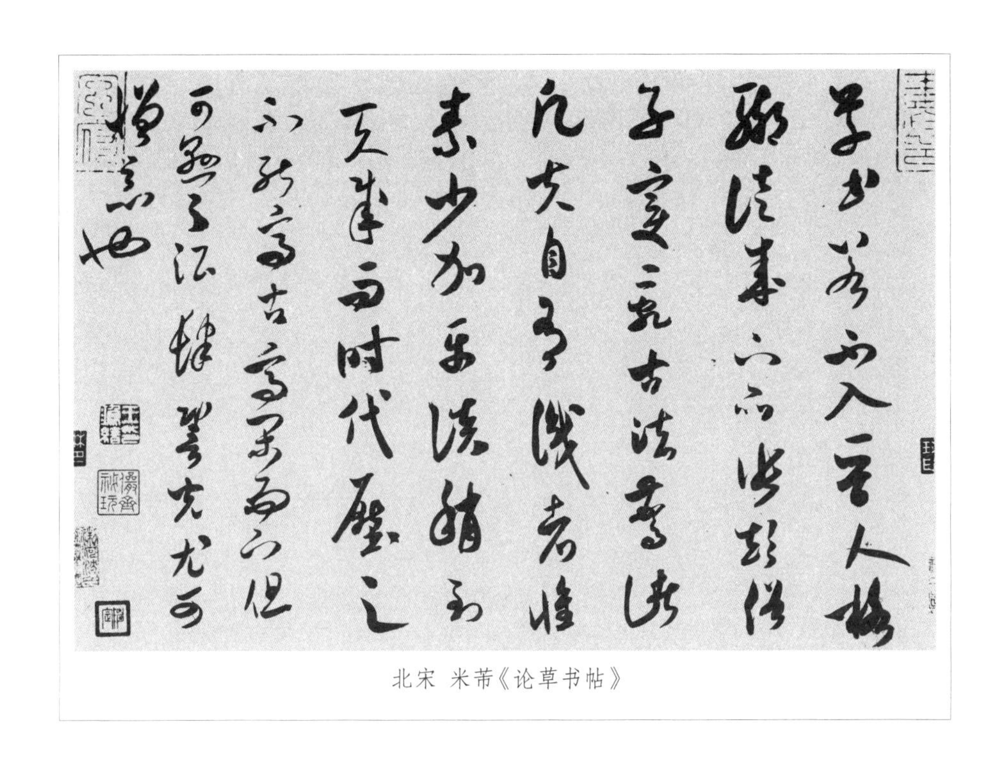

北宋 米芾《论草书帖》

椎轮者乎！”赵瓯北讥当时一辈力事复古的文学者说：“文字的起源是象形八卦。”“然则千古文章，一画足矣。”真可谓快人快语。

本人为一般的旨趣，实用为尚。因此，本讲虽标题书体，而所讲的仅限于真、行、草三种。孙过庭云：“趋变适时，行书为要，题勒方畐，真乃居先，草不兼真，殆于专谨，真不通草，殊非翰札。”真、行、草的关系，原为密切，草书虽非初学的急务，但就因为关系的密切来讲，不能不连带同讲。

（一） 真书

真书，便是正楷书。今人言小楷书，便是昔人所言小真书。真、正二字，异名同实，原是通用的。初学正楷书，宜从大字入手。若从小楷入手，将来写字，便恐不能大。昔人言小字可令展为方丈，这是说要写得宽绰，原因是因为一般学者的通病是为拘敛而不开展。其实大小字的用笔、气势、结构是不同的，我们看看市上所流行的《黄庭经》放大本，对比一下便可明白，小字是不能放大的。

初学根基，为何先务正楷？为何正楷不容易学？古人颇有论列。

张怀瓘云：“夫学草行分不一二，天下老幼，悉习真书，而罕能至，其最难也。”

张敬玄云：“初学书，先学真书，此不失节也。若不先学真书，便学纵体为宗主，后却学正体，难成矣。”

欧阳修云：“善为书者，以真楷为难，而真楷又以小字为难。”

蔡君谟云：“古之善书者，必先楷法，渐而至于行草，亦不离楷正。”

苏东坡云：“真书难于飘扬，草书难于凝重。大字难于结密而无间，小字难于宽绰而有余。”又曰：“真生行，行生草；真如立，行如行，草如走。未有未能立而能行，未能行而能走者也。”又曰：“书法备于正书，溢而为行、草。未能正书而能行草，犹未能庄语而辄放言，无足道也。”

宋高宗云：“前人多能正书而后草书，盖二法不可不兼。正则端雅庄重，结密得体，若大臣冠剑，俨立廊庙。草则腾蛟起凤，振迅笔力，颖脱豪举，终不失真。所以钟、王辈皆以此荣名，不可不务也。”又云：“士于书法，必先学正书者，以八法皆备，不相附丽。至侧字亦可正读，不渝本体，盖隶之余风。若楷法既到，则肆笔行、草间，自然于二法臻极，焕手妙体，了无阙轶。反是，则流于尘俗，不入识者指目矣。”

唐 张旭《郎官石柱记》

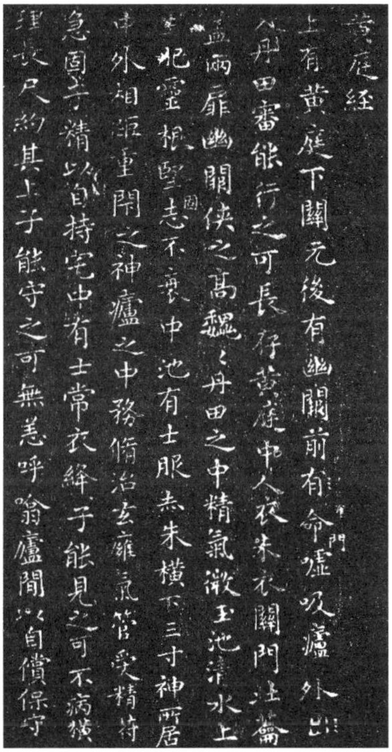

东晋 王羲之《黄庭经》

元 赵孟頫《妙严寺记》　　唐 颜真卿《多宝塔碑》

曹勋云："学书之法，先须楷法严正。"

黄希先云："学书先务正楷，端正匀停，而后破体。"

欲工行、草，先工正楷，自是不易之道。因为行、草用笔，源出于楷正。唐代以草书得名的张旭，他的正书《郎官石柱记》，精深拔俗，正是一个好例。学真书，本人主张由隋唐人入手，其理由已在第一讲谈过。但唐人学书，过于论法度，其弊易流于俗。而初学书，又不能不从规矩入。那末，于得失之处，学者不可不知。兹节录姜白石论书：

"唐人以书判取士，而士大夫字书，类有科举习气，颜鲁公作《干禄字书》是其证也。矧欧、虞、颜、柳前后相望，故唐人下笔，应规入矩，无复魏、晋飘逸之气。"

"真书以平正为善，此世俗之论，唐人之失也。古今真书之神妙，无出钟元常，其次则王逸少。今观二家书，皆潇洒纵横，何拘平正？"

"字之长短、大小、斜正、疏密，天然不齐，孰能一之？谓如'东'字之长，'西'字之短，'口'字之小，'体'字之大，'朋'字之斜，'党'字之正，'千'字之疏，'万'字之密，画多者宜瘦，少者宜肥，魏、晋书法之高，良由各尽字之真态，不以私意参之耳。"

姜白石这些话，并不是高论，而是学真书的最高境界。眼高手低的清代包慎伯，他是舌灿莲花的书评家。所论有极精妙处，也颇有玄谈。他论《十三行》章法："似祖携小孙行长巷中。"甚为妙喻。元代赵松雪的书法，功力极深，不愧为一代名家，其影响直到明代末年。推崇他的人，说他突过唐、宋，直接晋人。但他的最大短处，是过于平顺而熟而俗，绝无俊逸之气。又如明代人的小楷，不能说它不精，可是没有逸韵。

我国的书法，衰于赵、董，坏于馆阁。查考它的病原，总是囿于一个"法"字，所以，结果是忸怩局促，无地自容。右军云："平直相似，状如算子，上下方整，前后齐平，便不是书，但得点画耳。”学者由规矩入手，必须留意体势和气息，此等议论，不可不加注意。学者的先务真书，我常将此比之作诗作文，有才气的，在先必务为恣肆，但恣肆的结果，总是犯规越矩，故又必须能入规矩法度。既经规矩和法度的陶铸，而后来的恣肆，学力已到，方是真才。同样，画家作没骨花卉，必须由双勾出身，然后落笔，胸有成竹，其轮廓部位超乎象外，得其神采，得其圜中。孙过庭云：“若思通楷则，少不如老；学成规矩，老不如少。思则老而逾妙，学乃少而可勉。勉之不已，抑有三时，时然一变，极其分矣。至如初学分布，但求平正；既知平正，务追险绝；既能险绝，复归平正。初谓未及，中则过之，后乃通会。通会之际，人书俱老。仲尼云：‘五十知命也，七十从心。’故以达夷险之情，体权变之道，亦犹谋而后动，动不失宜，时然后言，言必中理矣。”学成规矩，老不如少，初学于正楷没有功夫，便是根基没有打好。

（二） 行书

行书不正不草，介乎于真、草之间，是变真以便于挥运的一种书体。魏初有钟、胡两家为行书法，俱学于刘德昇，而钟氏稍异。钟是钟（繇）元常，胡是胡昭，胡书不传，但有胡肥钟瘦之说。今所传钟书，传为王羲之所临。前人有把它再拆为几种的，如：“行楷”、“行草”、“稿行”之类。行楷是指行书偏多于楷正的意思，如王右军的《兰亭序》，大令的《保母志》，以及《圣教序》、《兴福寺碑》等等。（其他集王都比较差）行草是指行书偏多于草法的意思，如阁帖及大观帖中的《廿二日帖》、《四月廿三日帖》及《追寻伤悼帖》等等。整部帖中要分别清楚哪一部是行草，哪一部是行楷，有时就比较困难。譬如上述例举的行楷和行草帖中，其中说是行楷的却有几个字或一、二行是行草；说是行草的倒有几个至一、二行是行楷。还请学者在分别时注意。所谓“稿行”，

东晋 王献之《保母志》　　东晋 王羲之《兰亭序》(唐褚遂良摹本)

是指打稿底的一种行书，如颜鲁公的《争座位》、《三表》、《祭侄稿》等等，但三种都统称为行书。

行书作者，自须首推王右军，谢安石、大令为次。作品除前举者外，表章尺牍都见于诸阁帖中。实在说来，晋朝一代作者都是极好。王氏门中，如操之、焕之、凝之，他如王珣、王珉都不凡。晋以来，宋、齐、梁、陈、隋各朝，气息也很好，直到唐朝，便感到与前不同了。唐人行书，唐太宗要算特出的书家了。其余一般的讲，都很精熟，但缺乏逸韵，这当然也是受到尚法的影响。但是，比起楷正来，已比较能脱离拘束。颜鲁公的尺牍如《蔡明远》、《马病》、《鹿脯》诸帖，比较他的正楷有味得多。柳诚悬也是如此。他如欧阳询、李北海所写的帖，都是妙迹。虞世南的《汝南公主墓志》秀丽非凡。褚河南的《枯树赋》，为有名的剧迹。然此二帖，大有米颠作伪可能。

写尺牍与其他闲文及写稿，不像写碑板那样认认真真、规规矩矩。因为毫不矜持，所以能自自然然，天机流露，恰到好处。

行书要稳秀清洁，风神萧散，决不可草率。宋、元、明人尺牍少可观者，原因有几种：一是作行书过于草率从事；二是务为侧媚，赵子昂、文徵明、祝枝山、董思白等为甚；三是不讲行间章法。到清代人尤无足观。

行书的极则，不消说是晋人，阁帖中所保存、流传者亦不少。古人没有专门论行书的文字，所见到的，都附带于论真、草二体中。

（三） 草书

草书分章草和今草两种。章草源出于隶，解散隶法，用以赴急，本草创之义，所以称草。用笔实兼篆、隶意思。《晋书·卫瓘传》中说：“汉兴而有草书，不知作者姓名。”

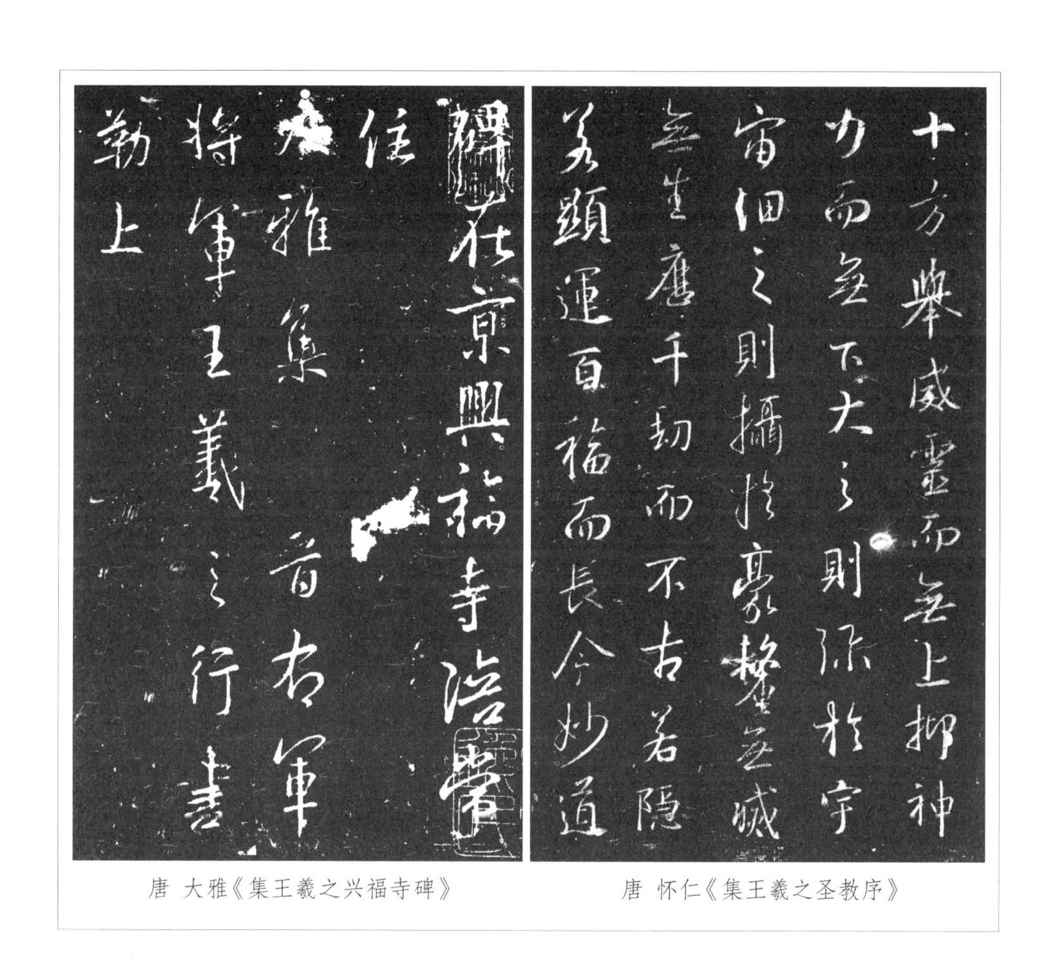

唐　大雅《集王羲之兴福寺碑》

唐　怀仁《集王羲之圣教序》

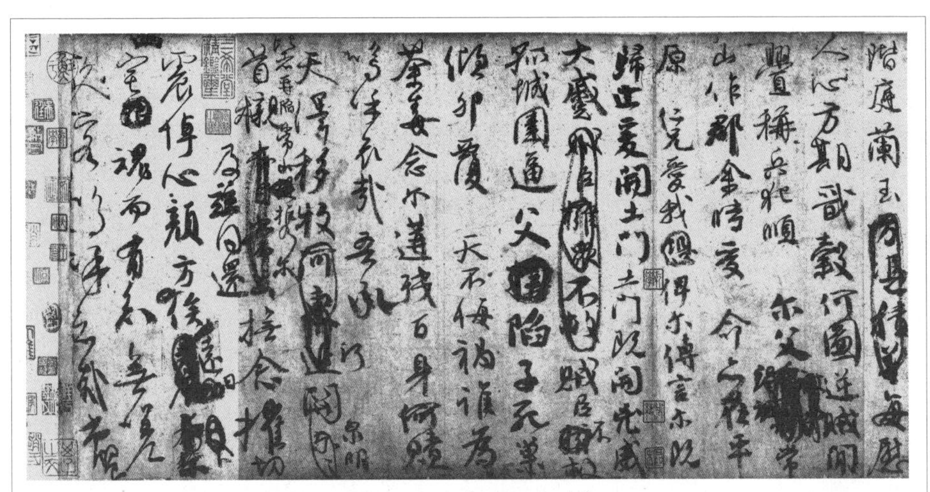

唐　颜真卿《祭侄文稿》

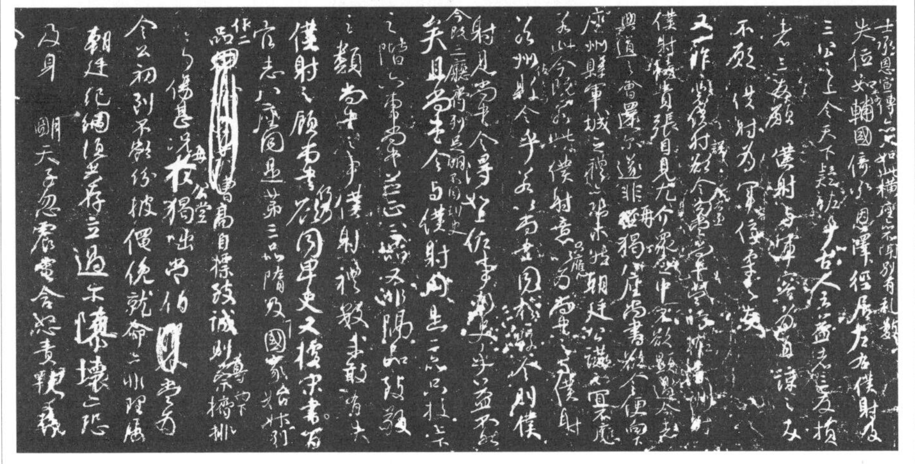

唐　颜真卿《争座位帖》

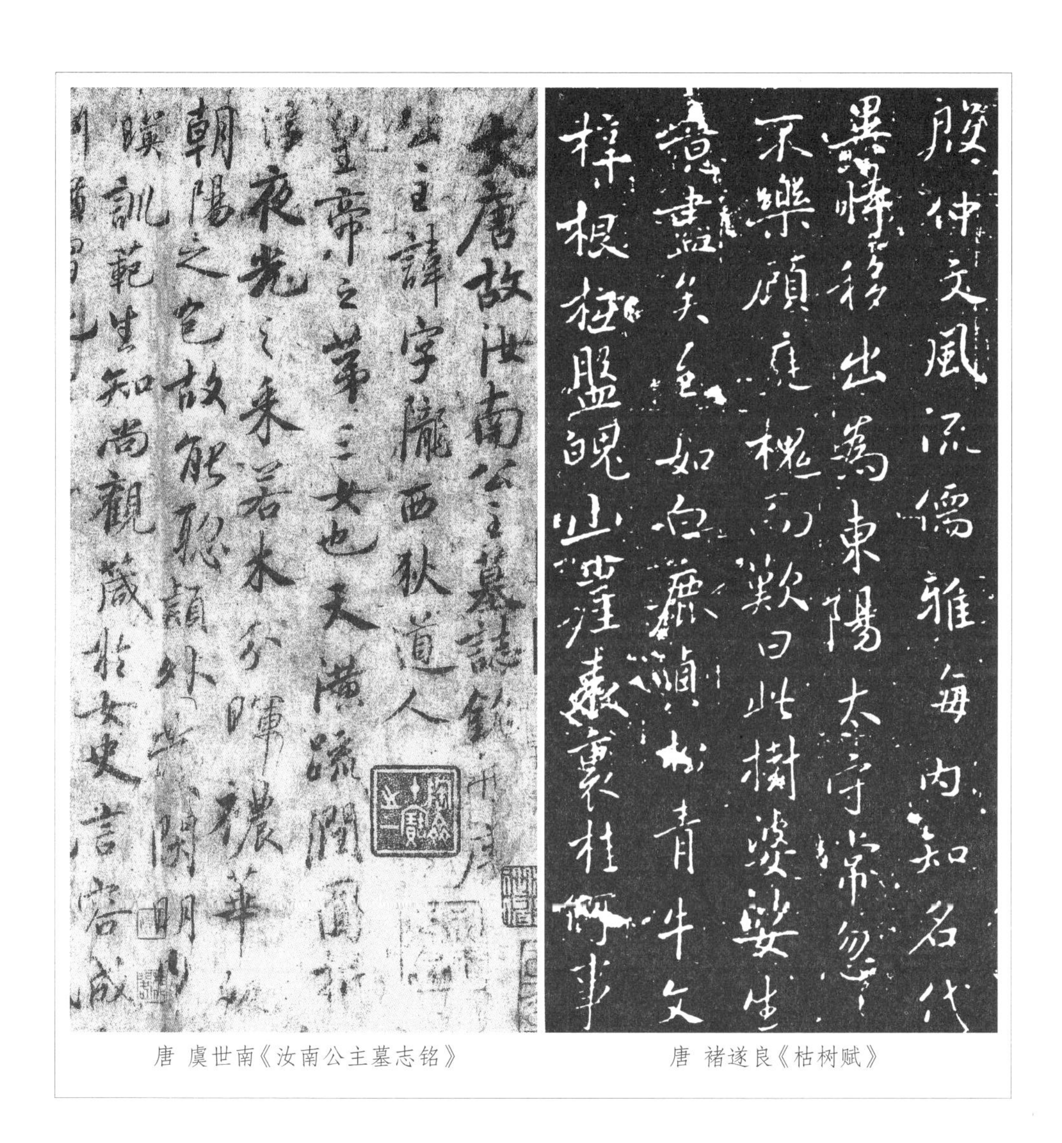

唐 虞世南《汝南公主墓志铭》　　唐 褚遂良《枯树赋》

可见这一种草书的产生，是先于楷行、今草。今草一方面为章草之捷；一方面又由楷行酝酿而来，因此用笔与章草有所不同。现在社会上一般讲的草书，就是指后一种的今草。

右军有草圣之名，他的草书剧迹，当推《十七帖》。但晋贤草书可以说都很好。学草书不入晋人之室，不可谓之能。学草书的初步，先务研究、辨别其偏旁。世俗所传的《草诀歌》、《千字文》、《草字汇》，都是为学草的帮助。草书的点画，其多少、长短、屈折，略有出入，便变成另一个字，所以有俗谚道："草字脱了脚，仙人猜勿着。"于右任等选订的《标准草书范本千字文》，苦心孤诣，用科学方法来整理、综汇古今法帖，名贤手泽，易识、易写、准确、美丽，以建立草书之标准。于昔人所谓妙理，至此可于此书平易得之，裨补学者匪浅。

草书的流行范围，在当时也只限于士大夫阶级，并不普遍。直到现在，草书和篆、隶一样，纯属一种非应用的书体。讲到它的写法，孙过庭曾云："真以点画为形质，使转为情性；草以点画为情性，使转为形质。……""伯英不真而点画狼藉；元常不草，使转纵横……"又云："草贵流而畅，章务检而便。"这几句话说得极精。包慎伯的诠释："盖点画力求平直，易成板刻，板刻则谓之无使转；使转力求姿态，易入偏软，偏软则谓之无点画。其致则殊途同归，其词则互文见意，不必泥别真草也。"也说得很明白。姜白石云："方圆者，真、草之体用。真贵方，草贵圆，方者参之以圆，圆者参之以方，斯为妙矣。"孙、姜两人以真明草，以草明真的说法，都极为精要。本来写草字的难，就难在不失法度，一方面要讲笔势飞动；一方面仍须像作真书那样的谨严。黄山谷云："草法欲左规右矩。"宋高宗云："草书之法，昔人用以趋急速而务简易，删难省繁，损复为单，诚非仓史之迹。但习书之余，以精神之运，识思超妙，使点画不失真为尚。"草书精熟之后才能够快，但是这个快字，在时间方面如此说，若在运笔方面讲，正须“能速不速”方才到家。什么叫能速不速呢？便是古人的所谓“留”和所谓的“涩”，作草用笔，能留得住才好。后汉蔡琰述石室神授笔势云：“书有二法，一曰‘疾’，二曰‘涩’，得疾涩二法，书妙尽矣。”诸位应悟得作草书的要点，正在于此。

学楷正由隋、唐入手，但草书决不可由唐人的“狂草”入手。唐人的狂草不足为训，正如隶书的不可为训一样。诸位或许要问，为什么唐人的狂草不足学呢？妇孺皆

东晋 王羲之《十七帖》

知，鼎鼎大名的张旭、怀素，不正是唐人草书大家么？我说，正是指这一类草字不足取法。世俗所称的“连绵草”和“狂草”，这二位便是代表作家。黄伯思说：“草之狂怪，乃书之下者，因陋就浅，徒足以障拙目耳。若逸少草之佳处，盖与纵心者契妙，宁可与以逾矩少之哉？”姜白石云：“自唐以前，都是独草，不过两字属连。累数十字而不断，号曰连绵、游丝。此虽出于古，不足为奇，更成大病。古人作草，如今人作真，何尝苟且。其相连处，特是引带，尝考其字，是点、画处皆重，非点画处偶相引带，其笔皆轻。虽复变化多端，而未尝乱其法度。”赵寒山说：“晋人行草不多引，锋前引则后必断，前断则后可引，一字数断者有之。后世狂草，浑身缠以丝索，或连篇数字不绝者，谓之精炼可耳，不成雅道。”赵孟坚云：“晋贤草体，虚澹萧散，此为最妙。至唐旭、素方作连绵之笔，此黄伯思、简齐、尧章所不取也。今人但见烂然如籐缠着，为草书之妙。要之，晋人之妙不在此，法度端严中萧散为胜耳。”诸家的论草书见解都颇为纯正。近人郑苏戡，他虽不能写草书，但颇能欣赏，颇解草法。他有两句诗说：“作书莫作草，怀素尤为历。”可谓慨乎言之。又有诗云：“草书初学患不熟，久之稍熟患不生。裁能成字已受缚，欲解此缚嗟谁能。”这些话颇有识度：后两句是指俗见入手的错误；前两句是关于草书生熟的说法。能草书者，或反而不知道这一点，却被他冷眼窥破了。因为书法太熟了之后，便容易变成甜，一甜便俗。唐人的草书可算极精熟，但气味却不好，原因就是不能够生。不说草，说楷、行罢，赵松雪的书法，功夫颇深，但守法不变，正是患上了熟而俗的毛病。拿绘画来说，也是如此。画得太多了，最好让他冷一冷，歇歇手。

关于草书，又想到一句古话：“匆匆不及作草。”诸位也许听到过。因为断句不同，有两种解释：一是作一句读，意思是作草书不是马马虎虎的，因为时间不够，所以来不及写草字；一是到“及”字一断，“作草”二字别成一小句，那意思是说因为时间匆匆来不及写楷正，所以写草字。两说都通。正像《四杰传》里祝枝山的“今年真好，

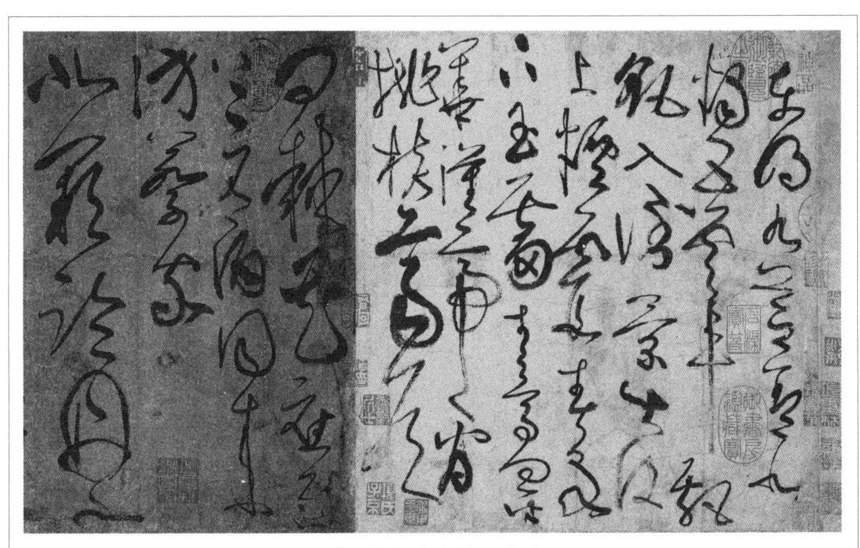

唐 张旭《古诗四帖》

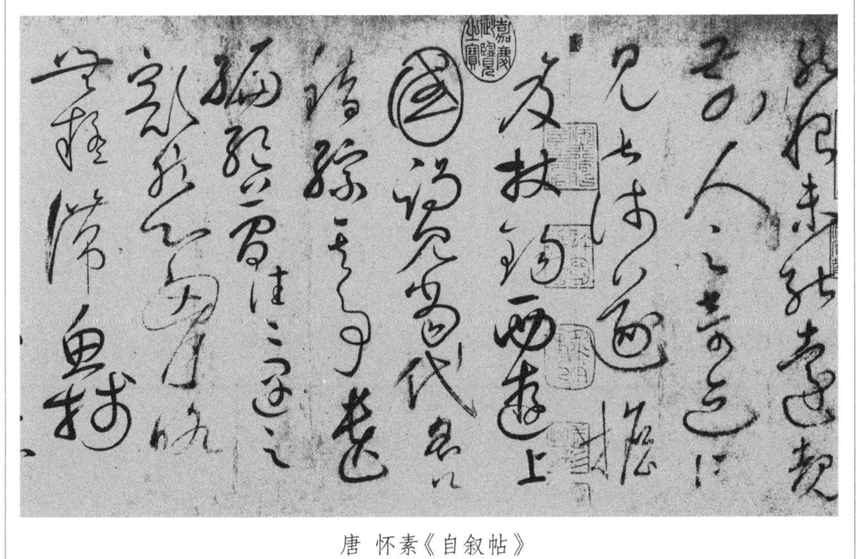

唐 怀素《自叙帖》

晦气全无，财帛进门”的贴门上的句子一样，断句不同，意思全异。那么“匆匆不及作草”这句话究竟怎样理解才对呢？我觉得把两种解释统一起来认识草书是比较妥当的。宋高宗反对前一种解释，他说：草书应“知矢发机，霆不暇擊，电不及飞，皆造极而言，创始之意也。后世或云‘忙不及草’者，岂草之本旨哉。正须翰动若驰，落纸云烟方佳耳。”他说的是草的本旨，原是不错的；但作一句读的，说来虽确乎过分，却不能说完全没有道理。你们看学草书的人，有时也往往随便得过分，过分强调了草书的快，因而往往一辈子竟写不好。一般学草字的毛病，便在于能“疾”而不能“涩”。写草字正须笔轻而能沉，便而能涩，方能免于浮滑。这是第一种解释有道理的地方。孙过庭云：“至有未悟淹留，偏追劲疾；不能迅速，反效迟重。夫劲速者，超逸之机；迟留者，赏会之致。将反其速，行臻会美之方；专溺于迟，终爽绝伦之妙。能速不速，所谓淹留；因迟就迟，讵名赏会。非夫心闲手敏，难以兼通者焉。”其论中肯之至。关于草书入手，姜白石指示后学有几句话：“凡学草书，先当取法张芝、皇象、索靖章草等，则结体平正，下笔有源。然后仿右军，申之以变化，鼓之以奇崛。”此说最为纯正。

总而言之，作字不论正、行、草，先要放胆，求平正开展而须笔笔精细，贵恣肆而尤尚雅驯，得笔势，重意味，贵生动，忌板滞。凡平实、安详、谨严、沉着、端厚、稳秀、清洁、萧散、飘逸种种，都是书之美点；凡纤弱、粗狂、浮滑、轻佻、草率、装缀、狂俗，一切都必须除恶务尽。初学应从凝重、难涩入手，切忌故作古老。

学无止境，书学下功夫亦无止境。扬子云说：“能观千剑而后能剑；能读千赋而后能赋。”学书也要大开眼界，要欲博而守之。务约而博，由博返约，那么，将来的成功，决非所谓“小就”了。

第九讲　书髓

经过我相当时间的推敲和思考，决定用“书髓”二字来包举本讲。因为在这一讲里所要谈的，可以说是书学上的最高修养，比较抽象，古人也不大把它分析、讲明。正如孙过庭所谓：“设有所会，缄秘已深，遂令学者茫然，莫知领要。徒见成功之美，不悟所致之由。”又云：“当仁者得意忘言，罕陈其要；企学者希风叙妙，虽述犹疏。”这在初学者听来，或者以为同书法不甚相关。对于引证古人的议论，或者感觉其很平凡，或者是感到不容易领会。其实呢，倒是千真万确，妙而非玄。现在为了诸位易于明了起见，提纲挈领，在本讲总题之下，先总的概括地谈一谈。

大概书法到了“炉火纯青”，称为“合作”的地步，必定具备心境、性情、神韵、气味四项条件。那么，四项条件的因成是什么呢？阐述如下：

（一）心境：心境要闲静。如何会闲静呢？由于胸无凝滞，无名利心。换句话说，便是没有与世争衡、传之不朽的存心——不单单是没有杂事、杂念打扰的说法。只有这样，才能达到心不知手，手不知心的境界。心缘静而得坚，心坚而后得劲健。临池之际，心境关系可真不小。《书谱》以“神怡务闲”为五合之首；“心遽体留”为五乖之首。又说：“穷变态于毫端，合情调于纸上，无间心手，忘怀楷则，自可背羲、献而无失，违钟、张而尚工。”这是到了极闲静的境界，才能如此。

（二）性情：性情要灵和。缘何得灵和呢？讲到灵字，便联想到一个“空”字。譬如钟鼓，因为它是空的，所以才能响；如果是实心的话，敲起来便不灵了。和字的解释是顺、是谐、是不坚不柔，发而皆中节，谓之和。性情的空灵，是以心境的闲静为前题的。心境的能够闲静，犹如钟鼓，大叩之则大鸣，小叩之则小鸣。《书谱》以“感惠徇知”为一合；以“意违势屈”为一乖。又说：“写《乐毅》则情多怫郁；书《画赞》则意涉瑰奇;《黄庭经》则怡怿虚无;《太史箴》又纵横争折;暨乎《兰亭》兴集,思逸神超;私门诫誓,情拘志惨。所谓涉乐方笑,言哀已叹。”又云:“右军之书,末年多妙。当缘思虑通审,志气和平,不激不历,而风规自远。”性情与书法的关系如此。

(三)神韵:神韵由于胸襟。胸襟须恬澹、高旷。恬澹高旷的人,独往独来,能够不把得失毁誉扰其心曲,自舒机轴,从容不迫,肆应裕如。我们可以想象诸葛武侯,他羽扇纶巾的风度如何?王猛扪虱而谈的风度如何?王逸少东床袒腹的风度如何?神韵又是从无所为而为来的。宋元君解衣槃礴,叹为是真画士;而孙过庭以“偶然欲书”为一合;“情怠手阑”为一乖,其故可思。有人说:神韵是譬如一个人的容止可观,进退可度。大致果然不错,但那个可观可度,我看正不免见得矜持,还不够形容一个人的逸韵。譬如馆阁体的好手,不能说不是可观可度,然而终不是书家,因为其中有功名两个字。孙过庭说:“心不厌精,手不忘熟。若运用尽于精熟,规矩谙于胸襟,自然容与徘徊,意先笔后,潇洒流落,翰逸神飞。”所以能潇洒流落,翰逸神飞,也就是因为胸中不着功名两字。

(四)气味:气味由于人品。人品是什么?如忠、孝、节义、高洁、隐逸、清廉、耿介、仁慈、朴厚之类都是。古人说:“书者如也。”又说:“言为心声,书为心画。”这个如字,正是说如其为人。晋人风尚萧散飘逸,当时的书法也便是这个气味。鲁公忠义,大节凛然,他的书法,正见得堂堂正正,如正士立朝模样。太白好神仙、好剑、好侠,诗酒不羁,他的书法也很豪逸清奇。本来,一种艺术的成功,都各有作者的面目和特点。面目和特点之所以不同,这是因为各个作品,有各人的个性融合在内。试看,同是师法王羲之,为何欧、虞、褚、薛的面目自成其为欧、虞、褚、薛呢?孙过庭云:“学宗一家而变成多体,莫不随其性欲,便以为姿。”就是这个道理。所以一个人的人品,无论忠义、隐逸、耿介等等,莫不反映到他的书法上去。读书人首务立品,写字也先要人品,有了人品,书法的气味便好，也愈为世人珍贵。

四者除了天赋、遗传关系之外，又总归于学识，同时与社会、历史的环境和条件也是分不开的。有天资而不加学，则识不进。现试言：

（一）学识与心境的关系：孩子们初学执笔，写成功几个字，便喜欢听大人们称赞一声“好”。艺术家如果不脱离这种心理，常常要人道好，这就糟了。为什么糟呢？总之，是因为他名心太重的缘故。请设想一下，如果张三说他极好，李四说他不好，他还来不及辨别对方是什么人，他们的话有什么价值，而只希望李四能改变主意也说他好，结果又来了个王五批评他某一点不好，你想这样他的心境如何能闲静。

（二）学识与性情的关系：天下事事物物，万有不齐，各人的性情，自然像各人的面孔一样，也大有不同。对于书法来讲，也是如此。历代大家，各有面目，各有千秋。如果甲说钟王字好，乙说颜柳字好，于是各执己见，“公说公有理，婆说婆有理”。成见在胸，入主出奴，由辩论笔战而相骂起来，结果去就质于一位学《爨宝子》的丙，那岂非笑话。本来颜、柳书虽有习气，但不能掩其好处。自己不能静观体会，缘何便可一笔抹杀。所以学问深，则意气平，这话是很有道理的。学问深者，必善于倾听和客观地分析各种不同见解；善于吸收各家精华，也必能保持冷静的头脑和闲静的心境。

（三）学识与神韵的关系：学识高者，见多识广，心胸高旷，独来独往。因为心中毫无杂念，毫无与世争衡之心，书画诗文，其气息必超脱尘俗，萧散飘逸，神采清奇。否则“不虞之誉，求全之毁”。“一庸人誉之，便自以为有余；一庸人毁之，便自以为不足。”得失劳心，真是何必！也使人觉得可笑。“见富贵而生谄容，遇贫贱而生骄态。”其实，他的富贵于我何加，他的贫贱于我何损，这只能显露了自己的胸襟和人格。即如拿王逸少的胸襟来讲，他所以“袒腹东床”，那时候他正觉得大丈夫不拘小节，何患无妻，天热乐得舒舒服服。一方面看了他的弟兄辈，一个个衣冠整齐的一副矜持模样，目的原是想讨郗家小姐做老婆！眼前来的，又不知是谁的未来的丈人峰，未免心中要暗好笑呢！

（四）学识与人品的关系：识由学而高，学又因识而进，二者是有相互密切联系的。“有所为，有所不为。”这是由于学识。“好而知其恶，恶而知其好。”这也是由于学识。有些人不能说是没有学问，但为何他偏干不忠不义的勾当呢？那是由于不能分别义、利，于是淫于富贵，移于贫贱，屈于威武。归结他原是并没有得到圣贤的真学问，因此便无定识，而影响到他的人格。有些人学古人的书法，偏先学到他的恶习，有毛病的地方，这是好而不能知其恶，总是由于不学以致无识，而以丑为美，影响到书品。宋代书家苏、黄、米、蔡，据说这个蔡原是蔡京，但是后人因为蔡京人格有问题，不配和其他三家并称，所以配上了一个蔡襄。元代赵子昂，本来是宋朝宗室，国亡之后，还做异族大官，这于人格上就有问题了。所以虽然他的书法功夫不仅好，也够漂亮，但总觉得是浮滑一路，骨子差了。明末清初的王觉斯，天分真高，笔力比文徵明一辈强得多，《拟山园帖》的摹古功夫，更可见他的学力。但他自己面目的书法，粗乱得很。他又为宦官魏忠贤写生祠碑，于是人家便看不起他了。讲书法关系到人品，或以为不是“在艺言艺”的态度，但我以上所讲的，即以艺术至上的立场而合到人品，我想，这并不离题。至于一辈嗜古的收藏家，珍贵新莽的泉货、蔡京的《党人碑》、秦桧的书札，那是历史保存的意义，在我看来倒不单单是好奇与物稀为贵。

以上所言，实在是卑无高论，但与书道联系之处，各位可以隅反。现在将古代书家所论到的有关四项修养的话摘录于后，供诸位参考。

蔡邕曰：“书者散也，欲书先散怀抱，任意恣情，然后书之，若绾闲务，虽中山兔毫不能佳也。夫书先默坐静思，随意所适，言不出口，气不盈息，沈密神采，如对至尊，则无不善矣。”（云间按：“如对至尊”尚是眼前有人，心中有人，非是。）

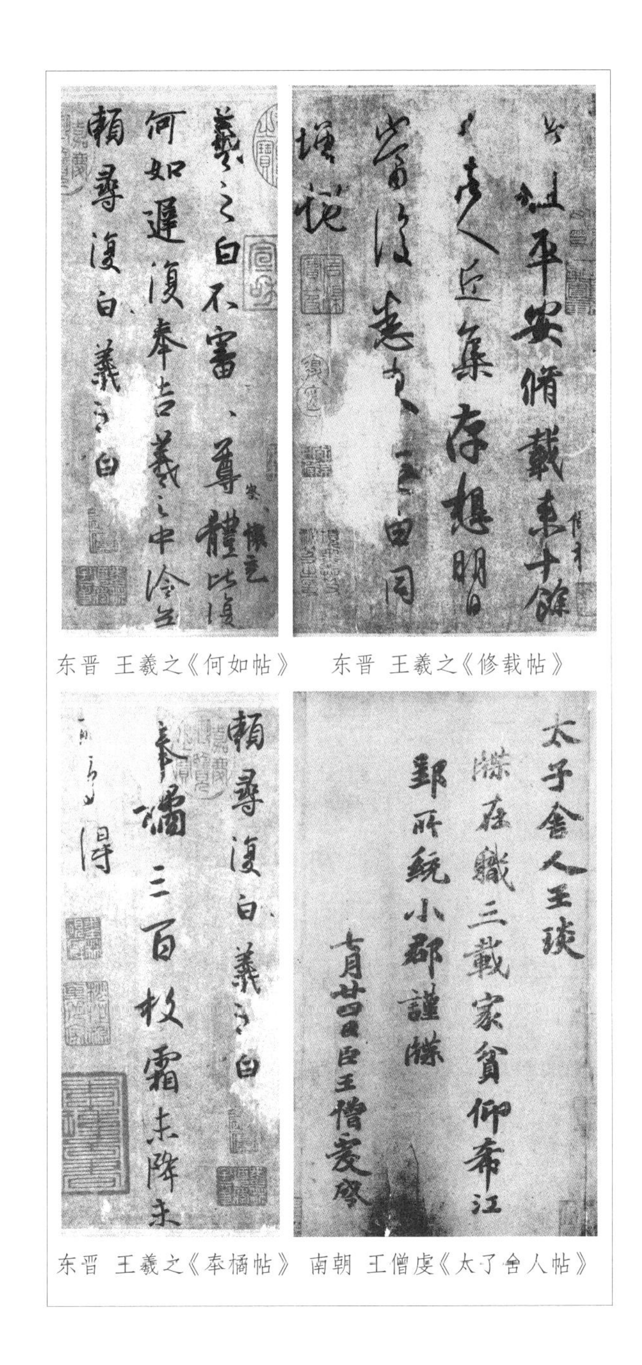

东晋　王羲之《何如帖》　　东晋　王羲之《修载帖》

东晋　王羲之《奉橘帖》　南朝　王僧虔《太了舍人帖》

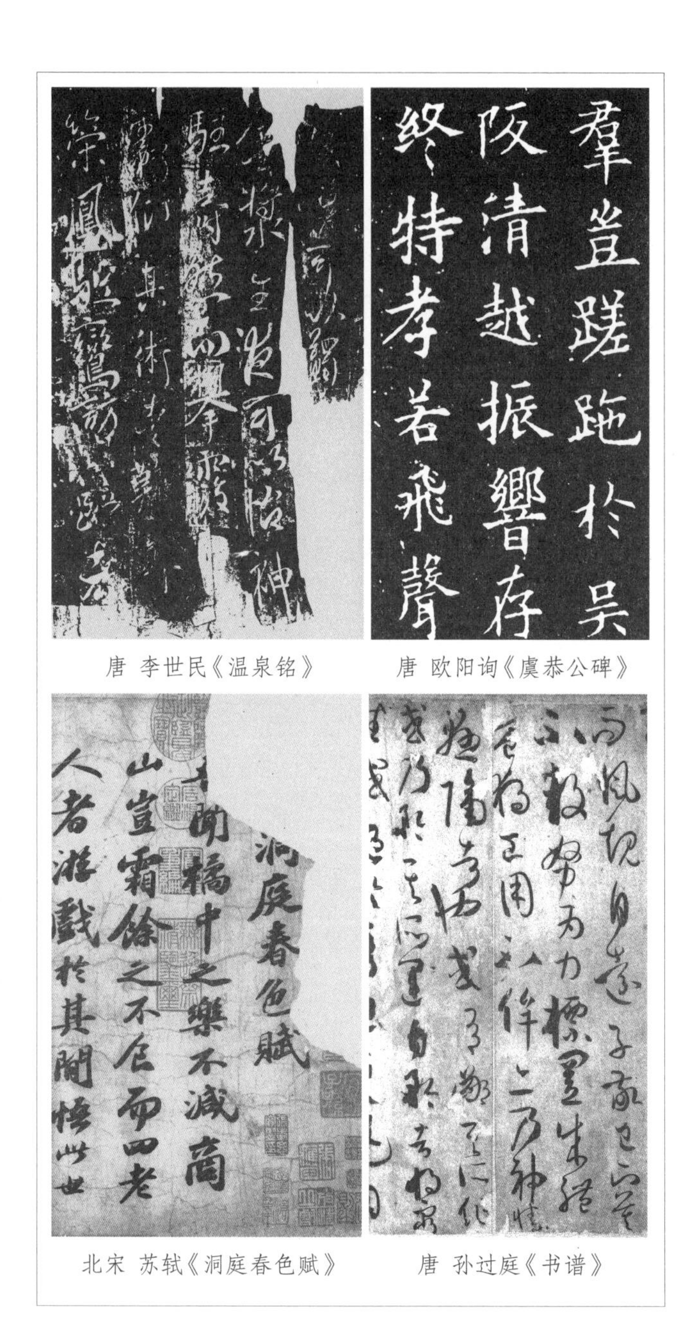

唐 李世民《温泉铭》

唐 欧阳询《虞恭公碑》

北宋 苏轼《洞庭春色赋》

唐 孙过庭《书谱》

皇象论书云："须得精毫佳纸之外，犹曰：'如逸豫之余手，调适而意佳娱，正可以小展。'"

王羲之曰："凡书之时，贵乎沉静。"

王僧虔曰："书之妙道，神采为上，形质次之，兼之者方可绍于古人。……必使心忘于笔，手忘于书，心手遗情，书笔相忘。"

欧阳询曰："莹神静虑，端己正容，秉笔思生，临池志逸。"

虞世南曰："字虽有质，迹本无为，禀阴阳而动静，体万物以成形，达性通变，其常不主。故知书道玄妙，必资神遇，不可以力求也。机巧必须心悟，不可以目取也。字形者，如目之视也，为目有止限，由执字体也，既有执滞焉，目所视远近不同，如水在方圆，岂由乎水？且笔妙喻水，方圆喻字，所视则同，远近则异。故明执字体也。字有态度，心之畅也，心悟非心，合于妙也。且如铸铜为镜，非匠者之明；假笔转心，非毫端之妙。必在澄心运思，至微至妙之闲，神应斯彻。又同鼓琴轮音，妙响随意而生，握管使锋，逸态逐毫而应。学者心悟于至道，则书契于无为。苟涉浮华，终懵于斯理也。"

孙过庭云："凛之以风神，温之以妍润，鼓之以枯劲，和之以闲雅。故可达其情性，形其哀乐。"

唐太宗曰："神，心之用也。心，必静而已矣。"

苏东坡曰："人貌有好丑，而君子小人之态不可掩也。言有辩讷，而君子小人之气不可欺也。书有工拙，而君子小人之心不可乱也。"

黄山谷曰："用心不杂，乃是入神要路。"又云："书字虽工拙在人，要须年高手硬，心意闲澹，乃入微耳。"

米南宫曰："学书须得趣，他好俱忘乃入妙，别为一好萦之，便不工也。"

晁补之云："书工笔吏，竭精神于日夜，尽得古人点画之法而模之，浓纤横斜，毫发必似，而古人妙处已亡，妙不在于法也。”

虞集曰：“譬诸人之耳、目、口、鼻之形虽同，而神气不一，衣冠带履之具同而容止则殊。”

梁山舟曰：“写字要有气，气须从熟得来，有气则自有势。”

曾文正曰：“气盛则言之短长与声之高下皆宜，书亦如之。”又曰：“古之书家，字里行间，别有一种意态，如美人眉目可画者也。意态超人者，古人谓之韵胜。”

郝经曰：“客气忘虑，扑灭消弛，澹然无欲，翛然无为，心手相忘，纵意所知，不知书之为我，我之为书，悠然而化。从技入于道，凡有所书，神妙不测，尽为自然造化，不复有笔墨，神在意存而已。”

孔孟论学，必先博学详说。上面所引前贤精要议论，无非在说明心境、性情、神韵、气味四项，惟或是说到其一二种，或是笼统全说着，总之在同学们能细心体验。

第十讲　碑与帖

书学上的碑与帖的争论，是远自乾嘉以来的事。提倡碑的攻击帖；喜欢帖的攻击碑。从大势上说，所谓“碑学”，从包慎伯到李梅庵、曾农髯的锯边蚓粪为止，曾经风靡一时，占过所谓“帖学”的上风，但到了现在，似乎风水又在转了。

从主张学碑与主张学帖的两方面互相攻击的情况来说，在我看来，似乎都毫无意义。为什么说是毫无意义呢？且待后面说明。现在我先从碑、帖的本身讲碑、帖。在这里，我们得弄明白什么叫做碑？什么叫做帖？碑与帖本身的定义和其分野在哪里？

（一）碑：立石叫做碑；以文字勒石叫做碑。碑上的字，由书人直接书丹于石，然后刻的。包括纪功、神道、墓志、摩崖等种种石刻。

（二）帖：古代人没有纸，书于帛上者叫做帖。帛难以保存久远，因之把古人的书迹，摹刻到石或木上去的叫做帖。在此，书与刻是间接的。包括书牍、奏章、诗文等等的拓本。

普通讲到书法的类别，是以书体为单位的，如篆、隶、分、草、正、行；以人为单位的，如钟、王、欧、颜等等；在没有写明书者的年代的，是以朝代为单位的，如夏、商、周、秦等等；也有以国为单位的，如齐、鲁、楚、虢等等；还有以器物为单位的，如散氏盘、毛公鼎、齐侯罍、莱子侯碑、华岳碑、乙瑛碑等等。以碑帖来分优劣，以南北来分派别，这在书学上是一个新的学说。

原来尊碑抑帖，掀起这个大风浪者是安吴包慎伯。承风继起，推波助澜，尊魏卑唐的是南海康长素。包、康两氏都是舌灿莲花的善辩者。包著有《艺舟双楫》，康著有《广艺舟双楫》，其实两楫只是一楫。这两部书，影响书坛可真不小。但是，发端这个议论的，却并不是安吴，而是仪征阮芸台（元）。而阮氏的创论，又未始不是因为受到王虚舟“江南足拓，不若河北断碑”一语的暗示。若再追溯以前，如冯钝吟云：“画有南北，书亦有南北。”赵文敏云：“晋宋而下，分而南北。”两氏虽有南北之说，但含糊笼统，并无实际具体的议论。阮氏是有清乾嘉时的一个经学家，而以提倡学术自任，著述极富，刻书尤广。亦能书小篆、汉隶，相当可观。他始有《南北书派论》及《北碑南帖论》两篇文章（揅经室三集卷一）。清代的学术考据特别发达，当时尤其是古文字学，更为进步。因此，从古碑、碣、钟鼎文字中发现新义，其价值正足以弥补正史经传某些不足之处。阮氏既是学经大师，又留心翰墨，眼见自明以来，书学囿于阁帖禊序，而清代书法，圣祖（即康熙）酷爱董香光，臣下模仿，遂成风气。至乾隆皇帝，又转而喜欢学赵子昂字，他本身既写得一般恶俗气，而上行下效，一般号为书家的书法，专务秀媚，绝无骨气，实在已到了站不起来的时候。以振弊起衰为己任的阮氏，既有所触发，思为世人开拓眼界，寻一条出路，于是写了《南北书派论》和《北碑南帖论》两文。这两篇创论，就好比在重病人身上打了一针强心剂，又替病人开了一帖用巴豆、大黄的药，使庸医刮目相看。论两篇文章的本质，原是考证性的东西，是他就历史的、地理的、政治的发展，作为研究性的尝试论。可以说，他是很富于革命性的，这实在是有所见，不是无所谓的。本来学术是天下之公器，他尽管提倡碑，但他的精神，则全是在学术上立新学说的一种学者态度。现在先摘录两篇文章的论语，以便加以探讨。

《南北书派论》：

由隶书变而为正书、行书、草书，其转移实在汉末与魏晋之间。其后正书、行、草又分为南北两派者。东晋、宋、齐、梁、陈，南派也，赵、燕、魏、齐、周、隋，北派也。南派由钟繇、卫瓘及王羲之、献之、僧虔等至于智永、虞世南；北派由钟繇、卫瓘、索靖、崔悦、卢谌、高遵、沈馥、姚元标、赵文深、丁道护等至于欧阳询、褚遂良。

南派书法，隋代不甚显著，至唐贞观年间始风靡天下。然欧、褚之书风，亦渊源于北派，即唐永徽以后，所书之开成石经，尚有北派余风。

南派乃江左文士之风流疏散妍妙，长于启牍。每用简约之笔，所尚既偏驯，至不识篆书之遗法。在东晋时，既多改变，其后宋、齐时代，所谓古法，更荡然无存矣。

北派乃中原古法，拘谨古拙，长于榜书。蔡邕、韦诞、邯郸淳、卫觊、张芝、杜度等之篆、隶、八分、草书之遗法，传之隋末唐初犹存。

南北两派，判然如江湖之不相混淆，即世族亦不相通，此风至唐初尚存。太宗本东北人也，然独爱王羲之书，故亲虞世南。羲之书法，实兼南北两派之长，可于现存之王帖中考而知之。盖数百年来，盛行北派，民间又多用之试考。当时普通所刻于石瓦类之文字，皆有北齐、北周时代之书风，而绝少似阁帖或王羲之、献之南派之笔法可知也。至宋代阁帖盛行于天下，然后中原碑板、石刻，始无复有北派矣。

梁代王裒，南派之高手也。入仕北朝。唐高祖学其书，故其子太宗，亦爱好王羲之书法也。

他的《北碑南帖论》里说：

古石刻纪帝王功德，或为卿士铭德位，以佐史学。是以古人书法，未有不托金石以传者。秦石刻曰："金石刻，明白是也。"前后汉隶碑盛兴，书家辈出。东汉山川庙墓，无不刊石勒铭，最有矩法。降及西晋、北朝，中原汉碑林立，学者慕之，转相摹习。唐修晋书，南北史传，于名家书法，或曰善隶书；或曰善隶草；或曰善正书、善楷书、善行草，而皆以善隶书为尊。当年风尚，若曰不善隶，是不成书家矣。

帖者始于卷帛之署书。(见《说文》)后世凡一缣半纸，珍藏墨迹，皆归之帖。今阁帖如钟、王、郗、谢诸书皆帖也，非碑也。且以南朝敕禁刻碑之事，是以碑碣绝少。(见《昭明文选》)惟帖是尚。字全变为真、行、草书，无复隶古遗意。…… 东晋民间墓砖，多出陶匠之手，而字迹尚与篆、隶相近，与兰亭迥殊，非特风流者所能变也。

同时他又说："北朝碑字，破体太多，特因字杂分隶，兵戈之间，无人讲习，遂致六书混淆，响壁虚造。"——《北碑南帖论》中语。"北朝族望质朴，不尚风流，拘守旧法，罕肯通变，惟是遭时离乱，体格猥拙……破体太多，宜为颜之推、江式等所纠正。"——

《南北书派论》中语。

他又承认：

（一）短笺长卷，意态挥洒，则帖擅其长。

（二）界格方严，法书深刻，则碑据其胜。——皆《北碑南帖论》中语。

可见他的碑帖长短论，说得非常开明。不过，我们从这两篇文字中看来，他的南北分派立论，不论从地域上，或是就人的单位来说，他作的系统的说法不能圆满，恐怕事实上也无从圆满，而且会越弄越糊涂的——因为地与人的分隶与各家书品的分隶，要由南北来划分得清清楚楚，其困难极大，甚至不可能。正和其他学术方面的划分南北派，或某派某派差不多。我们试就碑帖的本题来说，比方拿颜鲁公的作品来讲，《家庙碑》、《麻姑仙坛记》、《颜勤礼》等，是碑；《裴将军》、《争座位》、《祭侄稿》、《三表》等，是帖。就人说，他是山东人，属北派；就字体说，他的字体近《瘗鹤铭》，应属南派。现在姑且不谈鲁公，即使在阮氏自己两文中的钟、王、欧、褚诸人，他们的分隶归属不是已颇费安排，难于妥贴了吗？至于他说到帖的统一天下是归功于帝王的爱好，这也仅是见得一方之说。固然帝王的地位可以使他有相当的影响，但我觉得书法的优劣和书体在当时的流行是主要的影响。右军的书迹，为历代所宝，唐宋诸大家，没有一个不直接、间接渊源于他。《淳化阁帖》一出，影响到后来的书学。但王帖的风行和他之所以被称为书圣，决不是偶然的事。一方面是王字的精湛，如羊欣论羲之的书法说是："贵越群品，古今莫二，兼撮众长，备成一家。"这样的称赞，似乎也决与亲情无关。另一方面社会上应用最多的，不消说是正书和行书。而正、行的极诣，又无人否认是王字。所以王字的盛行，亦自属当然的趋势，初未必由于帝王的爱好。诚然，我相信以帝王的地位而

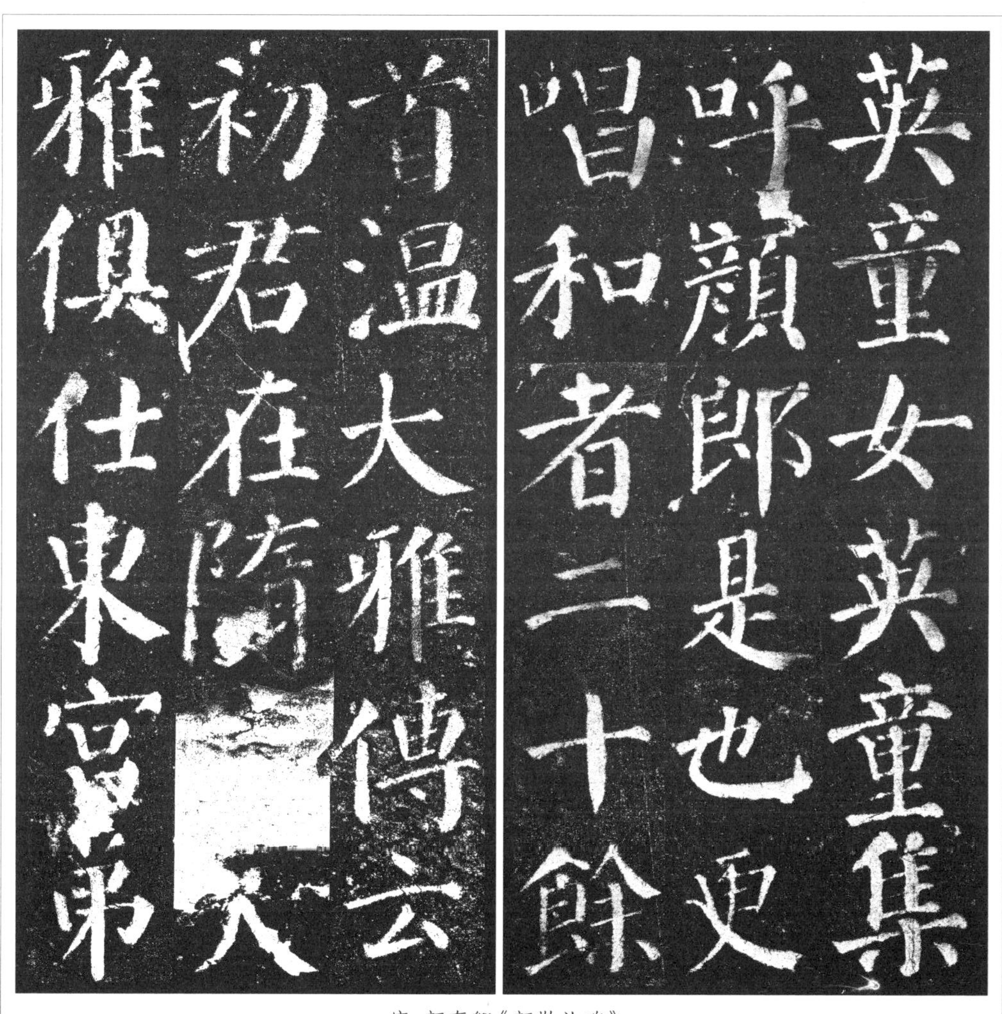

唐 颜真卿《颜勤礼碑》

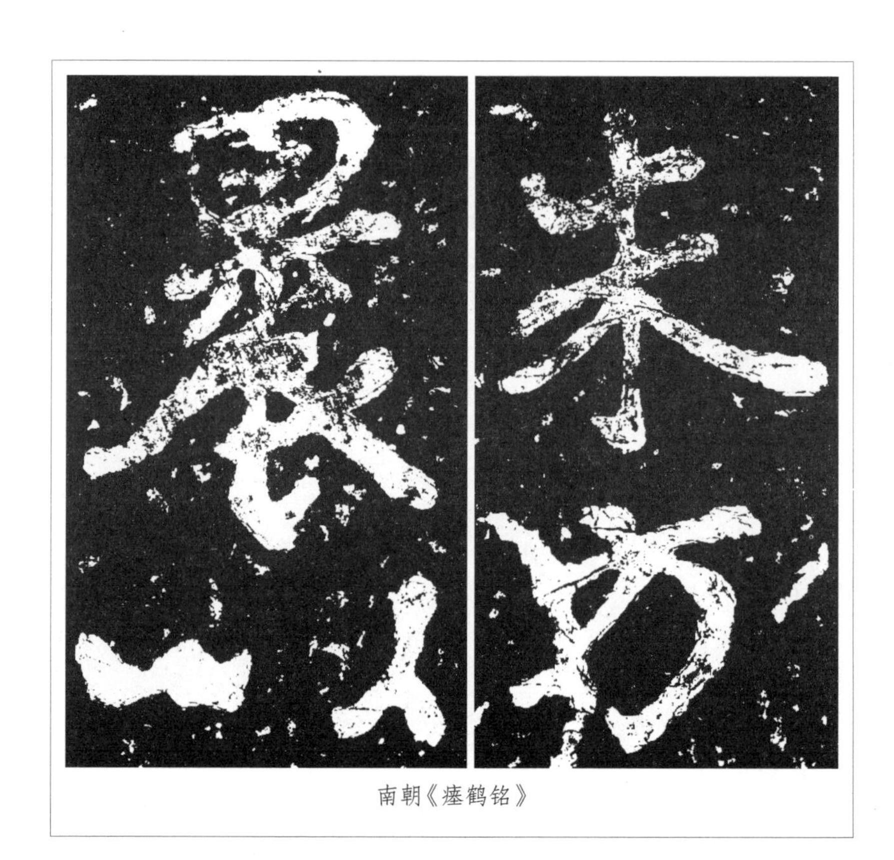

南朝《瘗鹤铭》

提倡，石工、陶匠的字也可以风靡一时，但是说因为帝王提倡石工陶匠的字，便要永为世法，那我觉得是可疑的一件事。

阮氏之说开了风气后，到了包、康二人，索性树起了尊碑抑帖、尊魏卑唐的旗帜来。他们虽然都祖述于阮氏，但是已经走了样。他们二人的学术，既颇粗疏，态度又很偏激，修辞不能立诚，好以己意，逞为臆说之处很多。好人之所恶，恶人之所好，终欲以石工陶匠之字，并驾钟、王。如慎伯论书，好作某出自某的源流论，说得似乎探本穷源，实则疏于史学，凿空荒谬。长素把造像最恶劣者，像齐碑、隽修罗、隋碑阿史那都赞为妙

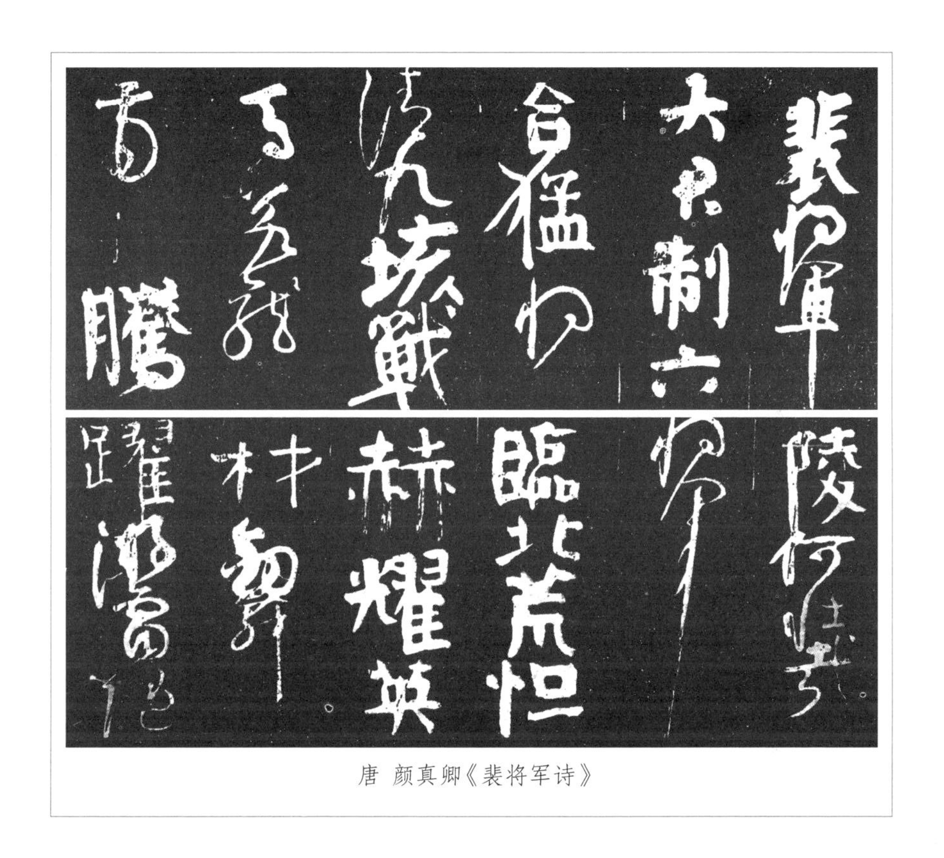

唐 颜真卿《裴将军诗》

绝，龙门二十品中，又深贬优填王一种，都是偏僻之论。

为什么说包、康二人尊碑抑帖的最大论证处祖述于阮氏呢？阮氏怎样说的呢？在他的《南北书派论》中有一段："宋帖辗转摹勒，不可究诘。汉帝秦臣之迹，并由虚造。钟、王、郗、谢，岂能如今所存北朝诸碑，皆书丹原石哉？"

本来世人厌旧喜新的心理，是古今未必不相及的。以耳代目的轻信态度，也是古今不肯用心眼脑子的人所相同的。所以其实是属于一种研究性的文字，人们便信以为铁案。阮氏的两篇文章，大概慎伯、长素，读了以上几句，未加详细研究，一时触动了灵

唐 颜真卿《麻姑仙坛记》　　唐 颜真卿《颜氏家庙碑》

机，便好奇逞私，大事鼓吹，危言阿好，而后人又目为定论。其实关于阁帖的谬误，治帖的，如宋代的黄思伯便有《阁帖刊误》，清代的梁山舟有《淳化秘阁帖考正》，都在阮氏之前，阮氏当然都已经读过了的。至于碑的作伪与翻刻，本来就和帖的情形一样，而拓本的好坏，那是治帖的人和治碑的人都同样注意和考究的。

为什么说包、康二人的修辞不能立诚呢？因为很稀奇的是，他们叫人家都去学碑、学魏，而自述得力所在，津津乐道的却正是帖——见《述书篇》（慎伯）、《述学篇》（长素）那岂不是正合着俗语的所谓“自打嘴巴”么。

我往年读慎伯、长素的论著，颇欲作文纠谬。后见朱大可君有《论书斥包慎伯、康长素》一文(《东方杂志》二十七卷第二号《中国美术专号》),真可谓先得我心,那篇文章,实在是有功于书学。他的论证非常切实,原文相当长,这里不引述了。诸位研究到这个问题,那正是一篇重要的参考资料。

我对于碑、帖的本身的长处和短处,大体上很同意阮氏的见解。因为我们学帖应该知道帖的短处;学碑也应该明白碑的短处。应该取碑的长处,补帖的短处;取帖的长处,补碑的短处。这正是学者应有的精神,也是我认为提倡学帖的和提倡学碑的互相攻击是毫无意义的理由。对于如何比较两者的看法,我认为:

(一)碑与帖本身的价值,并不能以直接书石的与否而有所轩轾。原刻初拓,不论碑与帖,都是同样可贵的。

(二)碑刻书丹于石,经过石工大刀阔斧的锥凿,全不失真于原书毫厘,也难以相信。

(三)翻刻的帖,佳者尚存典型。六朝碑的原刻,书法很多不出书家之手,或者竟多出于不甚识字的石工之手。

(四)取长补短,原是游艺的精神。只有如此,才有提高、有发展。

因此,我认为碑版尽可多学,而且学帖必须先学碑。碑沉着、端厚而重点画;帖稳秀、清洁而重使转。碑宏肆;帖萧散。宏肆务去粗犷;萧散务去侧媚。书法宏肆而萧散,乃见神采。单学帖者,患不大;不学碑者,缺沉着、痛快之致。我们决不能因为有碑学和帖学的派别而可以入主出奴,而可以一笔抹杀。六代离乱之际,书法乖谬,不学的书家与不识字的石工、陶匠所凿的字,正好比是一只生毛桃,而且是被虫蛀的生毛桃。包、康两人去拜服他们合作的书法,那是他们爱吃虫蛀的生毛桃,我总以为是他们的奇嗜。

(一九七九年发表于香港《书谱》杂志,分十期连载)

怎样临帖

传统学习书法的步骤是由描红、填黑（填写空心字）到影格、脱格（脱一字二字至一行），最后才是临写。这个循序渐进的安排是很合理的，科学的。

描红和填黑，事实上是在初步锻炼中锋铺毫，下基本功，使点画就范，写得圆满周到。为什么说是在下基本功呢？因为，如果你不能中锋铺毫，红字就不能被盖罩，空心字就填不满；再进一步要求分布结构，才写影格、脱格。写脱格时，事实就在引向临写。什么叫“临写”？临写就是一面学习某一字体的笔迹，同时要把某一字体的架子搭像样外，还要注意学习它的神气，是学习遗产的手段。这个时期是一个较长的时期。一个书家往往是终身不懈地不废临写工夫的。

临写要三到——心到、眼到、手到，是心、眼、手三个方面的紧密结合。心到第一。一般初学只有二到——眼到、手到，进步不快；顶差的只有一到——手到，甚至说一到都觉得勉强，因为他不是在“临”帖而是在“抄”帖，写的字总算是帖上有的几个字，像么，一点也不像。

“临”，眼睛看，心里想，手下写，有帖在面前，是要对着写的，所以叫“临”。我们应用的大楷簿、中楷簿，有的是九宫格（井字格）、米字格，可是恰恰帖上没有九宫格、米

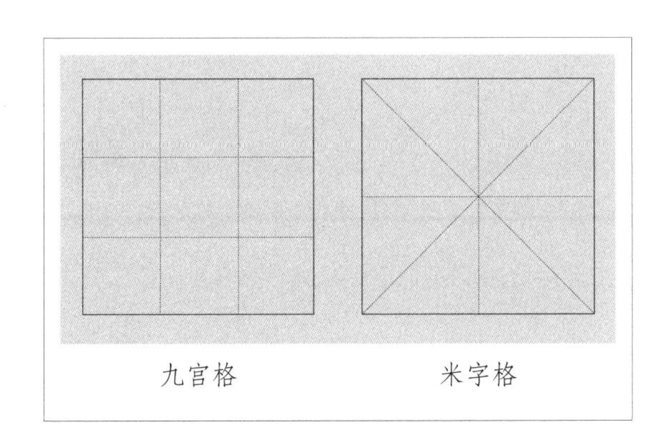

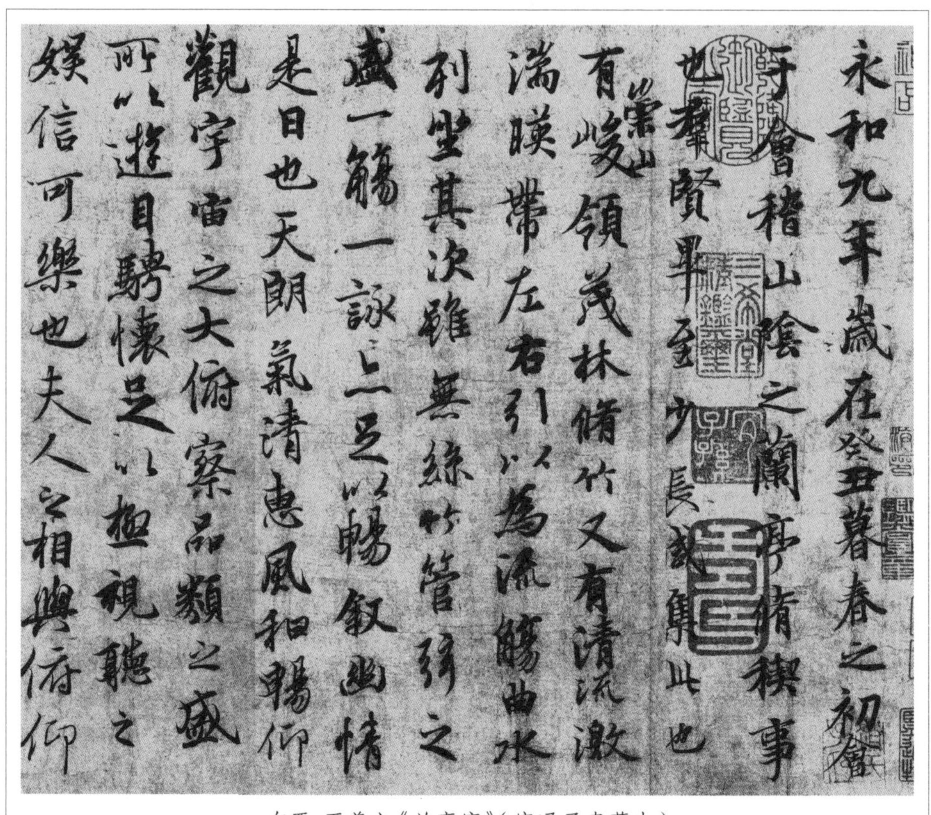

东晋 王羲之《兰亭序》(唐冯承素摹本)

白蕉《临兰亭序》

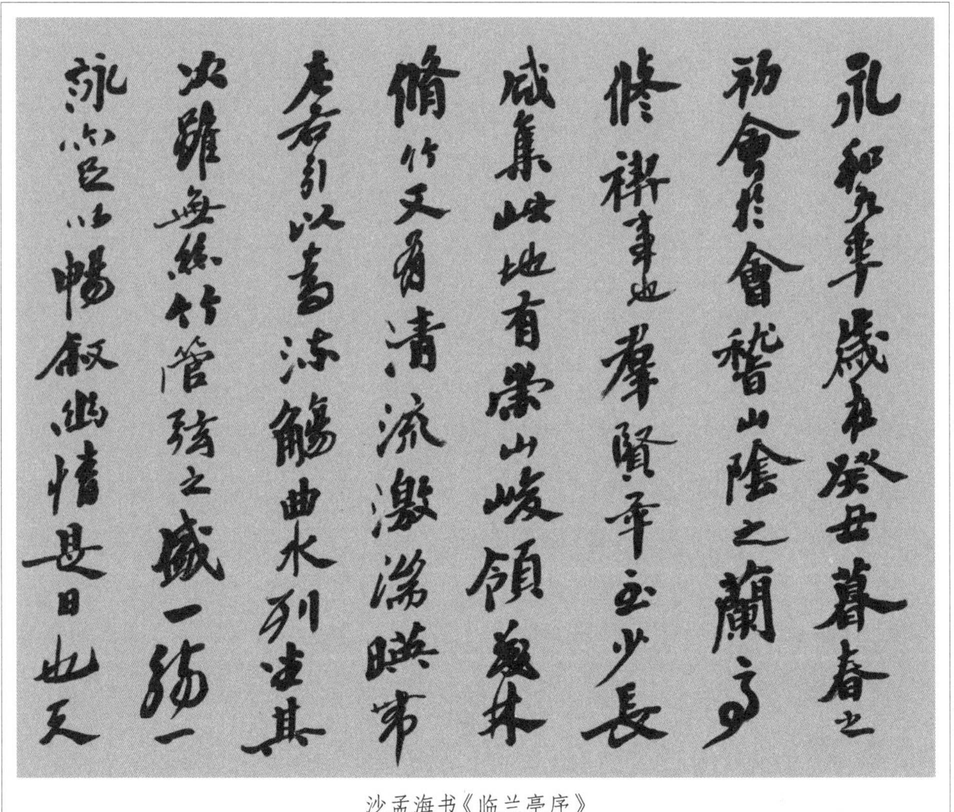
永和九年歲在癸丑暮春之
初會於會稽山陰之蘭亭
脩禊事也群賢畢至少長
咸集此地有崇山峻領茂林
脩竹又有清流激湍暎帶
左右引以為流觴曲水列坐其
次雖無絲竹管弦之盛一觴一
詠亦足以暢敘幽情是日也天

沙孟海书《临兰亭序》

字格，怎么办？可以用明胶板或小玻璃，照习字簿上的格子（用红色或黑色细笔打的格子），放到帖上去对临。这样，一个字的点画位置，在临写落笔前可以先仔细看一遍。过去写不好的字，架子老是搭不好的字，在格子中要特地仔细检查，一定能够把原因都找出来，从而也就能够写好那个字了。

九宫格、米字格两种习字格子作用不同。九宫格主要在求得点画位置，米字格主要在求得结构中心，要写得团结紧密。

临写的目的，既要得“形”，又要得“神”，形神俱得，工夫才到家。明九宫格、米字格可以求得“形似”，求“神似”怎么办？要“读”。读要在临帖之前，或者并不准备临写，作为专门的一课。宋人书家黄庭坚说：“古人学书，不尽临摹，张古人书于壁间，观之入神，则下笔时随人意。”元朝书家赵孟頫说：“学书在玩味古人法帖，悉知其用笔之笔，乃为有益。”他这话是有深刻体会的。三国时曹操喜爱其时大书家师宜官的书法，把它放在帐内，一有空就读。唐代大书家欧阳询，某次在路上看到索靖写的碑，已经走远了，重新回来再认真读，站得脚酸了，索性坐着，这样一连读了三天。

读在乎认识书法的神理，不但在点画分布结构上看他具体用笔的道理，笔势的往来；还要在整体上看它的精神面貌，寻玩它的韵味。

临帖好比做演员，光是扮相像是不够的，一定要能够深入剧中人的内心世界，然后能演好戏。临帖光是把字写得端正还不够，写哪一家哪一帖，一定要摸透他的用笔方法，一定要临写得神气活现才好。

临帖临到后来还要把它“背”出来，先不把帖打开，背着临，背不出，然后再翻开帖来核对，这个功夫叫“背临”。

“背”很重要，临写过的字，任何时候，只要你拿起笔来，就应该把它默写出来。帖在面前写得像，帖不在面前“自来体”，成绩就不能巩固。

“读帖”、“临帖”、“背帖”三道功夫要结合起来，然后能够保证学习胜利。看一笔写一笔的临帖，说明没有下“读”的工夫。帖拿开写字就不像，说明没有下“背”的工夫。总的说心未到工夫欠缺。

临帖虽说是书法学习的后期工夫，但它毕竟和描红、填黑、影格、脱格一样，是手段，不是目的。因为真正写好字，一定要有自己面目的缘故。

书法的欣赏

如何欣赏书法的问题，觉得不容易谈。书法不同于其他艺术，它虽然和其他艺术一样来自生活，但是毕竟比较抽象。它不像绘画雕塑，有点类乎音乐而又不同于音乐。唐代书法理论家孙过庭说："心之所达，不易尽于名言。"以本人的水平，自然就更不必说了。

但如何欣赏书法的问题是存在的。例如有人这样说："同是这个碑这个帖，亿万人爱好它，年轻时学它，老而不厌。学来学去，翻来翻去，越看越有味，欲罢不能，究竟是什么道理？"又有人说："看看各种书体，各个流派，各个书家的书法，它所给予人们的印象，有浑厚、雄伟、秀丽、庄严、险劲等等区别，这是什么道理？"也有人说："人们讲书法用笔有方有圆，可是方笔圆笔，并不出于两支笔，而是一支笔，那么究竟是什么道理？"

试图理解这些问题，并说明这些问题，是很有意义的。

关于书法的"书"字，在古代只是指写字。但人们书写时加入了思想感情，通过形式和内容的结合，渗情入法，法融于情，书法的作用又超出了文字本身的功能。我们看到毛主席亲笔写的《送瘟神二首》，通篇充满感情，体现"鹰击长空，鱼翔浅底"之妙。它使我们能够想见主席落笔时"浮想联翩，夜不能寐，微风拂煦，旭日临窗，遥望南天，欣然命笔"的感情。书法的艺术魅力，使作者的精神透过点画结构有限的形象，奔驰到无限广阔的天地中去。

使用同样工具而出现不同的风格，而种种不同的风格又都能够吸引人，正是由于它具有成熟的艺术力量。什么是成熟的艺术力量呢？成熟的艺术力量，是在配合其时其地的思想感情下恰到好处的运动。前人于这方面也有体会，如同说："言为心声，书为心画。"也就是说："书之结体，一如人体，手足同式，而举止殊容。"书法的欣赏，需要欣赏者与书写者的合作。欣赏者从书法形体线条的变化看见了书写者内在的思想感情。这种合作的获得是基于对艺术的认识，而认识的基础是实践。我们了解认识对于实践的依赖关系,即明白艺术的审美活动与劳动实践之间的血肉关系。

纸、墨、笔、砚都是第一流的,放在一起,并不能产生一张好的书法或者好的绘画。能够产生一张好的书法或者好的绘画的原因,是人的能动作用。实践第一,就是说在正确思想指导下的行动第一。毛主席说:“我们的实践证明:感觉到了的东西,我们不能立刻理解它,只有理解了的东西才更深刻地感觉它。”毛主席这句话可以应用来说明书法欣赏问题。

欣赏要实践水平,欣赏对实践又有帮助,也可以说是实践的一部分。在实践中有了认识,把认识提高到理论,理论既是欣赏标准,又是学习标准,此种有机结合,也是辩证关系。

字本是符号,组织起来,成词儿,用词造句,加入了思想感情,形式与内容结合,就不单单是符号。形式与内容不可分割,一定的内容产生一定的形式。如果可以说书法的形式就是点画结构等一些客观材料,而内容是人的思想感情的话,那末这些内容的表现,支配着客观的形式的变化。

问题在需要说明内在的思想感情,如何表现为外在的形象?关于这个问题,是否可以作这样理解来说明:书法本身通过书家的笔法、墨韵(浓淡、干湿)、间架、行气、章法,以及运笔的轻重、迟速,和书写者情感的变化,表现的雄伟、秀丽、严正、险劲、流动、勇敢、机智、愉快等等的调子的有机节奏,而正是在这里,给人们以无穷的想象、体会和探索。

画讲线条,书也讲线条。线条能表现力量,表现气势。这种种变化,只有毛笔能够适应。所以毛笔是最好最有利的工具,其他笔做不到。中国书画都讲用笔,就是这个道理。汉末蔡邕讲到用笔笔势时说:“势来不可止,势去不可遏,惟笔软则奇怪生焉。”有什么“奇怪”呢?奇怪就在“变化”,妙就妙在“软”。软的毛笔,给人灵活运用起来,变化多端,各人的性情表达出来,成为各个不同的面目。画家用画法写字,别有奇趣,有特殊风格,使书法“无色而具图画的灿烂,无声而具音乐的和谐”,引人入胜。

书法上讲“雄强”、“沉着”、“入木三分”、“力透纸背”等等,都是讲“力”。韦诞说:“多力丰筋者圣,无力无筋者病。”卫夫人说:“善笔力者多骨,不善笔力者多肉。”也是讲“力”。李世民说:“惟在求其骨力,而形势自生。”力从何表现?从用笔表现。笔本身没有力,所以表现为有力是通过人的心,通过人的手。心信任手,手信任笔,笔信任纸。有坚强的心,而手足以相付,就能够“得心应手”。心手相应,笔笔肯定,毫不犹豫,这样就表现了笔力的刚毅。笔有了力,加以熟练,行笔起来,就能够有快慢、轻重、转折、干湿的完全自由,往来顺逆,刚柔曲直,前后左右,八面玲珑,无不如意。前人千言万语,不惮烦地说来说去,只是说明一件事,就是指出怎样很好地使用毛笔去工作,方能达到出神入化的妙境。

书法各人有各人的风格,个性不同,各人各写,把各人自己的性情表达出来。所以欣赏无绝对一致的标准。如颜真卿字胖厚有力,杜少陵诗却说“书贵瘦硬方通神”。如此,就有两种不同的标准。又如钟繇的字,有人说如“云鹄游天,群鸿戏海”;又有人说他如“踏死蛤蟆”。王羲之的字有人说他“体势雄逸”,如“龙跳天门,虎卧凤阙”;也有人说他“有女郎才,无丈夫气”。颜真卿的字,有人说他“挺然奇伟,书至于颜鲁公”;又有人说他“颜书有楷法而无佳处”,简直是“厚皮馒头”。可见各人对书嗜爱不同,欣赏标准也不一样。

分析欣赏标准所以不同,有许多原因:时代风气不同,思想不同,生活不同,素养不同,成就不同,理解不同,书体不同,方笔圆笔不同。或真行草三者有所偏重,或在三者之外,参以其他书体,执笔取势方面有所不同。从个人的爱好来说罢,早年、中年、晚年又有所不同。总之,不能完全一致,也不须一致。加以中国字体很多,正楷、行书、草

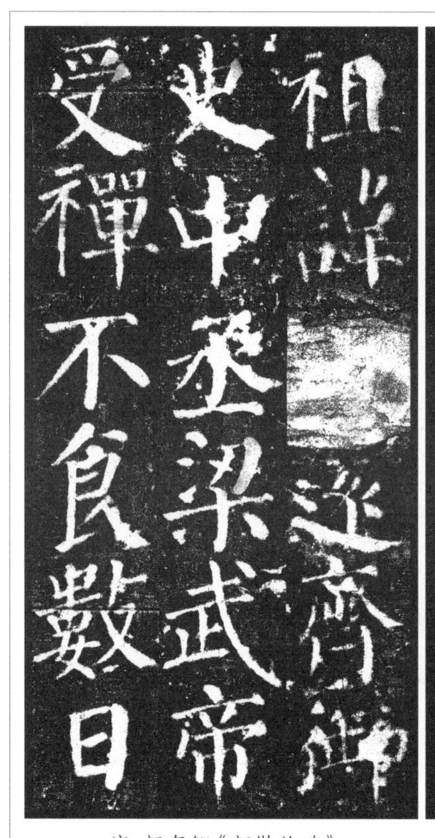

唐 颜真卿《颜勤礼碑》

三国魏 钟繇《贺捷表》

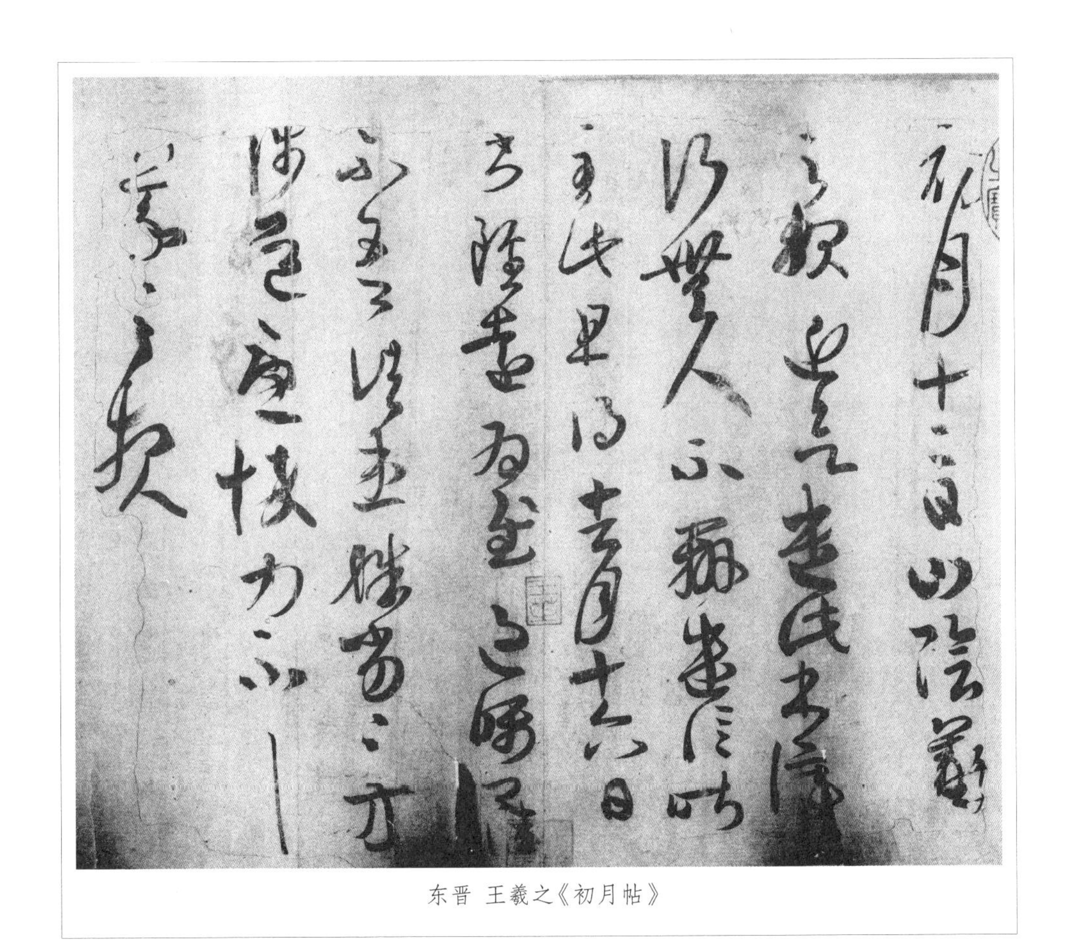

东晋 王羲之《初月帖》

书之外，又有甲骨、金文、大篆、小篆、秦隶、汉隶、北魏等等，丰富多彩。各人可以本着自身学养，从各种字体中吸收营养加以变化。比如说写楷书，参用篆书笔意，或参用隶书笔意；写颜（真卿）体又参米芾行书笔意等等，融化出来创造自己的面目。举例说，邓石如书法先从篆隶进门，隶书写成了，又通到篆书里去，篆书写成了，通到真书里去。他以隶笔写篆，所以篆势方，以篆书的意思加入隶书，所以隶势圆。又以自己的篆法入印，所以他的篆书、隶书、篆刻都自成一家。郑板桥书法本来学宋代黄山谷，又采篆隶

清 邓石如篆书　　清 邓石如隶书　　清 邓石如楷书

为“古今杂形”，字里又含画兰竹意致，变化出新意。金冬心书法出入楷隶，自辟蹊径，不受前人束缚，以拙为妍，以重为巧，别有奇趣。墨卿精古隶，能拓而大之，愈大愈壮，行楷渊源于王逸少、颜真卿，兼收博取，自抒新意。粗看似李西涯，而特为劲秀，自开面目。何子贞学颜真卿，参以《张黑女》、《信行禅师碑》。他学隶功深，渗合起来，出自

清 郑板桥行书联　　北宋 黄庭坚行书

郑板桥画兰竹

清 何绍基行书

北魏《张黑女墓志》

清 吴昌硕《临石鼓文》

己面目。赵㧑叔书法初学何子贞，后来深入六朝，以楷入行，以书入画，书画印三方面都能成家。沈寐叟早中年全学包世臣，没有可观，后来变法，打碑入帖，产生新的面目。吴昌硕楷书初学黄道周，后来行草学王觉斯，篆书从学杨沂孙变为专写《石鼓文》，写出一个面目，与篆刻统一起来，又别开一派。齐白石早年学金冬心，后来学郑板桥，《三公山碑》等，雄伟苍劲，亦见面目。他篆刻初学皖派、浙派，极精工，后来融化汉凿印，结合他的书法，又自具面目。他们的努力创新，又丰富了祖国的文化遗产。

但是有成就的书家，也往往有他们的缺点习气。例如何子贞晚年的“丁头鼠尾”，

清 沈曾植手札　　清 赵之谦《盘古开天地》

及赵之谦失之于巧，吴昌硕有时见黑气，齐白石每见霸气等等。

如此说来，欣赏似乎没有标准。

不，还是有标准的。如果说欣赏没有标准，那末今天我们如何谈欣赏？欣赏可以谈，欣赏有原则。什么原则？欣赏从实践中来。上面说过，欣赏要有实践水平。前人的

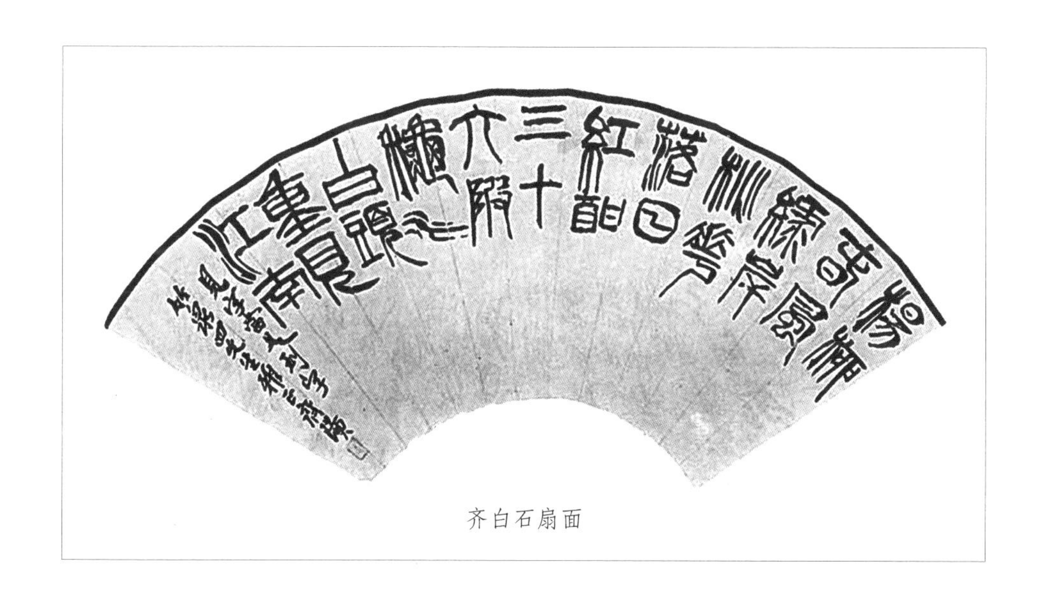

齐白石扇面

实践经验总结出了理论，我们可以把它们归纳成几项原则。

欣赏既要看部分，又要看整体。

一点一画，组织起来成为一个字，就是一个整体。古人把写楷书的经验归纳起来提出“永字八法”，它木身是讲点画的，但要注意整体，不能呆板，要注意使转，要连贯起来，注意笔与笔之间意思相互呼应，顾到整体。附带说一说：古人讲笔法的“永”字图，就像机器的零件装配，这是一个缺点。我们要从点画看到整体，把部分美与整体美配合起来看。孙过庭《书谱》讲：“至若数画并施，其形各异；众点齐列，为体互乖。……违而不犯，和而不同。”他讲点画，又讲“分布”，既要从有笔墨地方看，又要从无笔墨地方看；既要看实的地方，又要看虚的地方；既要看密的地方，又要看疏的地方，正如刻印章，既要看红处，又要看白处。我们如果拿“永字八法”来一笔一笔分散看，只看点画，就太机械了。《书谱》又讲：“一点成一字之规，一字乃终篇之准。”我们正要把部分美与整体美配合起来看。至于行书草书，更不是从一个字看。这一个字与那一个字，这一行与那一行，以至整幅，要看它笔力、气势、疏密、张弛、均衡、向背配合得如何。“一点成一字之规，一字乃终篇之准。”正是说，从一点、一个字写起，写完了整幅，最后整幅又应成为一个字一般。写一幅字这样写，看一幅字也这样看。部分整体统一。

小孩子写的字，一点一画，结构差一点，倘使笔下有力，有天趣，有稚趣；老年有学问的人，不讲写字，而下笔有力，或如金石家篆刻家写起字来，往往有拙趣。

楷书容易僵化，行草容易油滑。容易僵化，所以要求端正而又飞动；容易油滑，所以要求流走而又沉着。

字大，写起来容易散漫，所以要求紧密；字小，写来容易拘束，所以要求宽绰。总在各种矛盾中求统一。

圆笔力在内，方笔力量扩展到外。方笔用顿的笔意，隶笔多顿；圆笔用转的笔意，篆笔多转。顿的笔意不用圆，就见呆板；转的笔意不用顿，又太泛泛，也要矛盾统一。书法用笔，在迹象上比较见得有方有圆，事实上总是亦方亦圆，方圆并用。

前人说：“右军作真若草。”若“草”，就是说笔意流动；又说：“作草若真。”若“真”，就是说快而不滑。《书谱》说：“真以点画为形质，使转为情性；草以点画为情

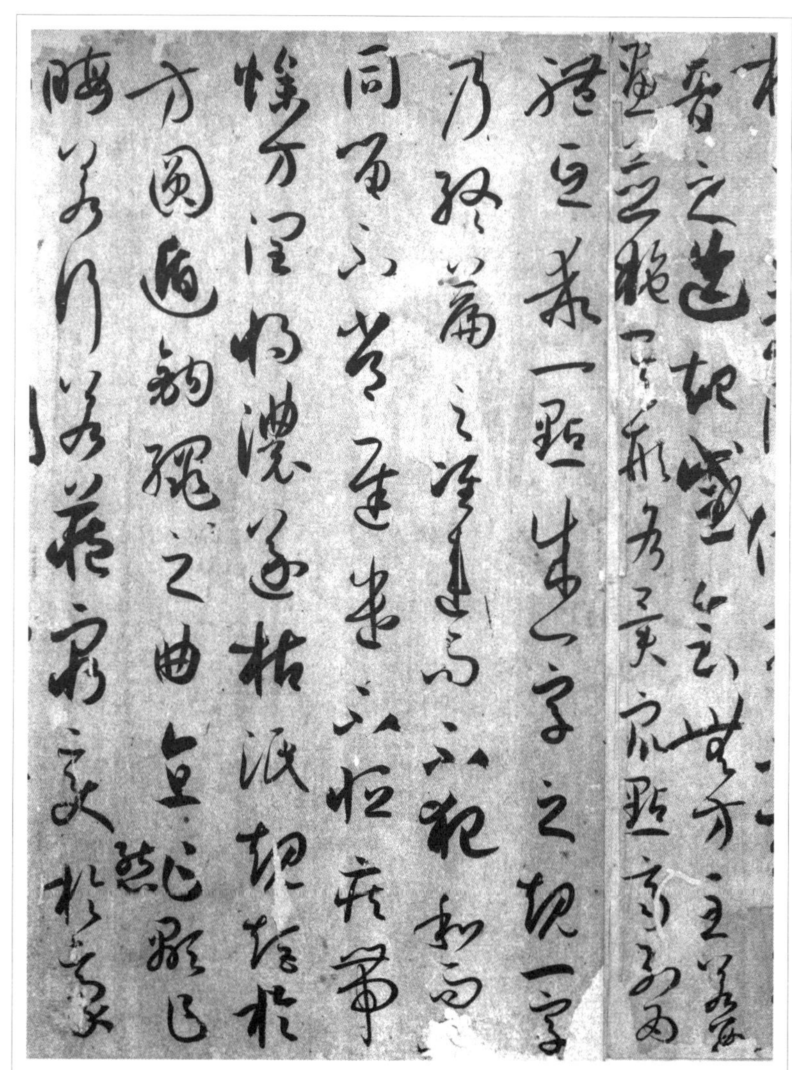

欣赏既要看部分，又要看整体。唐孙过庭《书谱》：“至若数画并施，其形各异；众点齐列，为体互乖。…… 违而不犯，和而不同。”

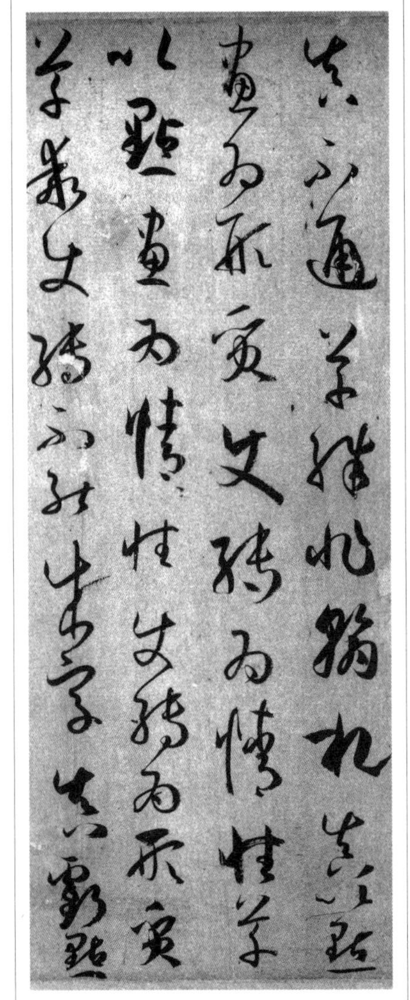

唐孙过庭《书谱》:“真以点画为形质,使转为情性;草以点画为情性,使转为形质。”

性,使转为形质。”意思是说,真书的点画不联系,最易见得板滞,应该以流走书之,仍用使转,不过不显然露迹,所以说是性情。这样,形质虽凝重,而情性则流走;草书笔画联系,自然应该运用使转,但使转每易浮滑,应该以从凝重出之,所以形质虽流走,而情性则凝重。这些也是矛盾的统一。

奇正配合。正不呆板,奇不太野,要配合起来;生熟也配合,生要不僵,熟要不疲。碑与帖,不拘泥。

不光讲字形用笔,还要看运墨。《书谱》说:“带燥方润,将浓遂枯。”用墨不使单调,也是矛盾统一。古时用墨,一般讲,用浓的多。宋代苏东坡用墨“须湛湛如小儿眼乃佳”,可见是用得较浓的。明代用墨有发展,董其昌善用淡墨。画家用画笔在画幅上写诗文题跋,蘸着浓就浓点,蘸着淡就淡些,干就干些,写来有奇趣。善用墨,墨淡而不渗化,笔干而能够写下去。

我认为学习标准就可作欣赏标准。

书法要求自然。书法下工夫,千锤百

炼，这是“人工”，然又要求出之自然。正如李斯讲的：“书之微妙，道合自然”，“我书意造本无法。”不是真的无法，无法还是从有法中来。“我用我法”，正说明加入了他的思想感情，形成了他的风格。“推陈出新”，变了法，所以成为他的法。艺术不是模仿，不是拍照，不是古人的翻版。古人的真迹里、碑版里，有古人的思想感情，既学不到，也假不来。他有他的思想感情，你有你的思想感情。初学书法，技法必须讲，要懂得法，但法不能讲死，不能死于法下。有人死于法下，所以前人感叹：“法简而意工，法备而书微。”书法不能只从技法求，从技法求书，只能成为“馆阁体”、“科举字”。馆阁体字，正如一般拍的团体照相，摩肩而立，迭股而坐，气体不舒，一无意趣。谈不到思想感情，没有艺术可言。从来学习书法只学“家数”的，往往走到形式主义的道路，临这本碑帖，写出来就是这本碑帖，有人无我，叫做“寄人篱下”，不能自主。粉刷成的大理石不美，这里有真假的分别。

书法的正与变又是矛盾的统一。

一般讲“雅”和“俗”。我们现在如何概括地来说明书法上的雅和俗？“雅”者，能辩证地学古人，部分整体统一，刚柔配合，醇中有肆，合乎雅正，富有时代精神，能突破前人；“俗”者，没有思想，没有生活，也很难说有技法，“五官端正”，没有精神，东施效颦，装腔作势，不能统一。

欣赏时不太挑剔别人的坏处，就会多吸收别人的长处。本来，一个人的眼睛总是跑在手的前头，眼有三分，手有一分，而口又要超过眼睛，这里正需要有冷静的头脑，客观的眼睛。我们往往接触这样一些问题，例如说：“学楷书是基本功之一，你认为欧字比颜字好呢，还是褚字比虞字好？”这类问题，说不容易回答，也容易回答，各人喜爱不同。因为各人总有各人的偏爱，但各人的偏爱，又必然不能作为艺术上的评价。你喜爱秀丽的一路，可以，但总不好说险劲的一路不好。所以我往常又这样说：比如五岳的风景不同而都是美；五味的味道不同而都是味；百川的流派不同而都到海。又如兰竹清幽，木芍香艳，古松奇崛，垂柳婀娜，俱是佳物。不知是否可以这样说。

欣赏也要实践。如第一次不能够欣赏，慢慢看得多了，可以看出流派，看到运笔笔法，更进一步，在不同中见同，同中见不同。玩迹探情，循由察变，能够从表面看到骨子里去。书法这件东西，原是感性的、具体的，可见的形象，引导欣赏者自己透过表面得出一定的结论。——当然，偏于主观的欣赏，也必然会得出不相同的结论。

过去听过一次郭绍虞先生讲《怎样欣赏书法》。他提出六项标准：

一、形体，看结构天成，横直相安；

二、魄力，从笔力用墨看；

三、意态，要飞动；

四、流派，不拘泥碑帖，不以碑标准看帖；

五、才学，书法以外关系；

六、气象，浑朴安详。

其中形体、魄力、意态三项是关于字的形体，流派是书学，才学、气象是学问。——这里我记忆不太清楚，如有错误，由我负责。

最后，还想说明一点：艺术的产生，是思想、生活、技巧三者的高度结合。“思想是灵魂，生活是材料，技巧是熟练程度和创造性”，写字离开了思想，离开了生活，离开了实践，而肆谈艺术，是不可想象的。我们的书法要有魄力、气势，要开朗，要与时代相适应。我们常常讲到“风格”，风格是什么？风格就是思想和艺术的统一体。

云间言艺录

济庐艺言

古人于书画，往往好作玄论欺人。其实绝无神秘，学者不知，亦自能暗合。着意三多，熟能生巧。大匠能与人规矩，后事全仗一“悟”字入矣！故初学书画，最妙能自寻门径，不畏难，终有得。要耐着性子，要静，否则徒觉其难，反不知从何落笔矣。及其已能作书画时，再看古人论著，自能心领神会，获益不鲜。至若希夷自然，则目击道存，可忘肉味。

入手要高，此是第一件事。俗有所谓看坏眼睛者，乃是金言。指导初学者选师取法前，要知得此语来自菩萨心肠也。法近人，最无志气。如悦某人书画，当师其所师，与其同门，绝不可从而师之。从而师之，傍门依户，终为弟子。青出于蓝，此是何等事，而可易言？昔人云：“取法乎上，仅得其中；取法乎中，斯为下矣！”不可不知。

古来碑帖，不可尽学，然不可不泛涉。学书当有所主。有主以会其归，泛涉以尽其变。

入手觉难，要不怕；在用功时觉难，尤其要不怕，此即是过关矣。同一怕字，程度不同。书画篆刻诸艺事，大概均须过三关。过得一关，便是进得一程，登高一级。其程甚远，其级无数。我谓三关，非谓过尽即达。比如阳关三叠之后，遂谓无离情耶？昔年初治篆刻，觉白甚易，朱文较难，继以为反是，既又以为反是，终又以为均不易。如此颠倒，竟不知次数。然三关既透，总较多坦途云尔。

右军云：“书弱纸强笔，强纸弱笔。”周显宗云：“写字之法，硬笔要软，软笔要紧。”

皆是刚柔相济之义。

强笔强纸，难于淹留；弱笔弱纸，难于劲疾。纸笔不相合，故难见工。总之，硬笔欲其淹留，软笔欲其劲疾，此其大较也。

古人论书有云："作真若草，作草若真。"诚是千古不传之秘，初学所不能悟到之一境也。

余尝评近代书家数人，或未免太苛。论云：康有为字如脱节藤蛇，挣扎垂毙。吴昌硕字如零乱野藤，密附荒篱。郑苏戡字如酒后水手，佻挞无行。仓硕行书学王觉斯，倘及门亲炙，亦宜打手心；晚年《石鼓》有极佳者，今人无出其右。沈寐叟书如古冠名士，结构近《爨宝子碑》；而又参钟索草法，故初学包世臣而无包之浮，于前人殆近黄道周，倪元璐。打碑入帖，其拙处沉着处可喜。然亦只可有一，不可有二。

所谓"韵"最难讲。风神蕴藉，萧散从容，有时可为之注解。然韵字尚包含一种果断之气。羽扇纶巾，指挥若定。观晋人书，往往有此感。

忆数年前，徐悲鸿顾我谈艺。尝云："凡欲作书画时，先在纸上纵笔挥洒，觉'来'时，然后在预备之纸上落笔，未有不佳。"语颇可记。然此尚有不能泯行所无事之迹。行所无事而神来。

书画相通，然而画书则未必相通，此可与知者道。作书手法，不外指实、掌虚、管

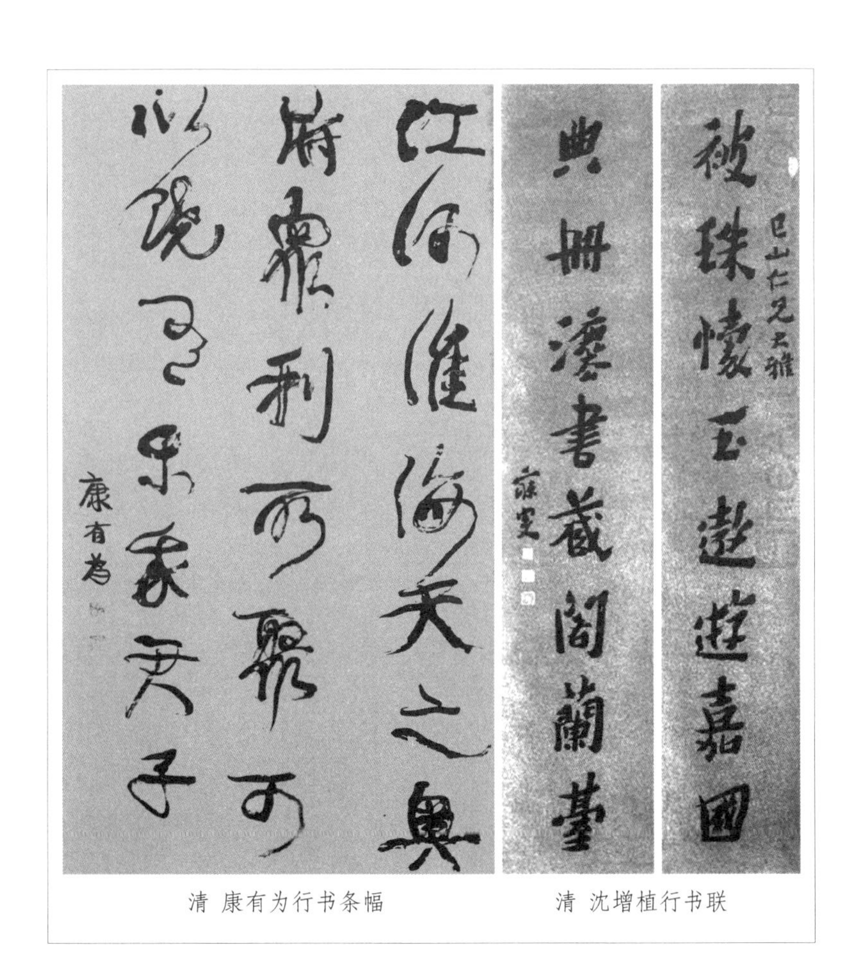

清 康有为行书条幅

清 沈增植行书联

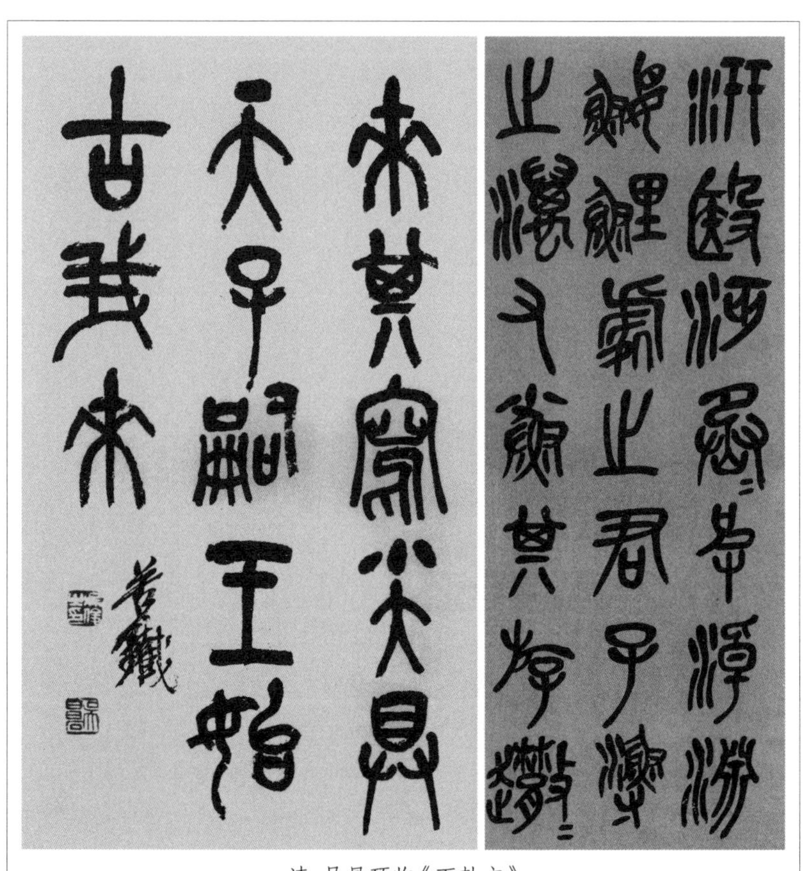

清 吴昌硕临《石鼓文》

直、心圆八字。指实而后得紧，掌虚而后得宽，紧则坚，宽则大；管直心圆，则锋中矣。至于枕腕、提腕、悬腕、悬肘，全视字之大小，此是事实上事。欲取空虚，有非提悬不可得者。古人或云“悬手”，意故含混。或指悬手为书家魔障，亦是奇论。右军云：“每作点，必须悬手作之。”虞永兴述右军每作点画，皆悬管掉之。正是胡桃大字，亦有须悬以取势者。

执笔务便稳轻健。希声言执笔法五字曰：擫、押、勾、格、抵，理自不误，本非甚深玄妙。俗有龙眼、凤眼之说，虽说非无所本，终是刻舟求剑，类江湖卖膏药口吻矣。包世臣云：“画平竖直，便是佳书。”此语甚凡庸，直足对写考卷之酸秀才、小门生说法耳。不则，其洵以字如算子为佳耶？元人奴见，此赵松雪之所以终不曾梦见晋人也。

松雪书结构匀称，熟不能生，遂成俗书。智永千字文，若今世所传，除整齐妩媚而外，不见其他，颇足致疑。然与其学子昂正书，尚不若临永师《千字文》也。

临书始欲像，终欲不像。像求其貌，不像求其神。故不能有背于当前者初学；有自家意思者终学。貌去神连，明离暗合，此是第八九分工夫。否则，一路求像，直是庄生所谓似人，僧皎然所谓钝贼者矣。

议论实诣，截然两事。议论，识也；实诣，力也。大抵眼有三分，手有一分。

孙子谓良将用兵“动若脱兔”，而必先曰“静若处子”者，可悟能静然后能动之旨，岂独书法为然。

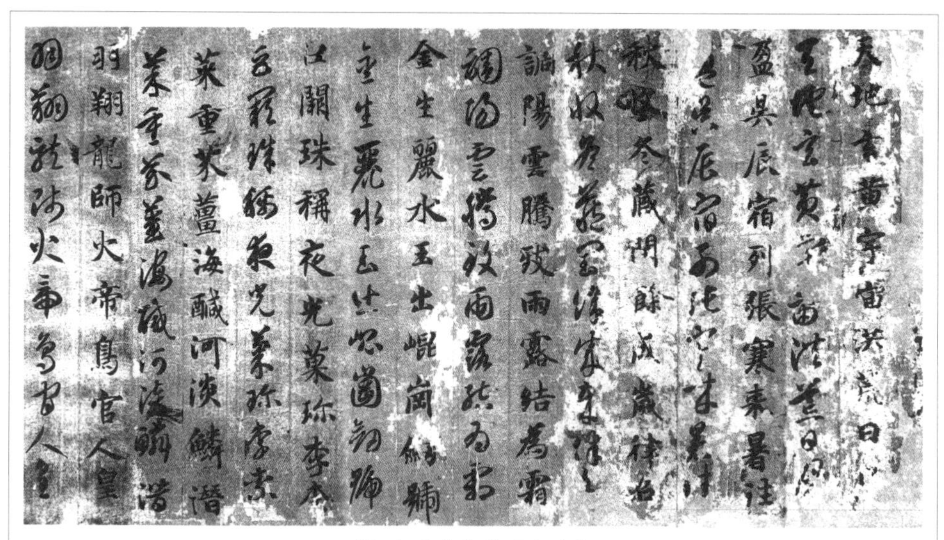

隋　智永《真草千字文》

天地闔闢運乎鴻樞
而乾坤為之戶日月
出入經乎黃道而卯
酉為之門是故建設
琳宮摹寫玄象外則
周垣之聯屬靈星之
橫陳內則重闥之劃
開閶闔之彷彿非崇
嚴無以備制度非巨
麗無以竦視瞻惟是
勾吳之邦玄妙之觀
賜額改矣廣殿新矣
而三門甚陋萬目所
觀辟之於人神觀不

元　赵孟頫《三门记》

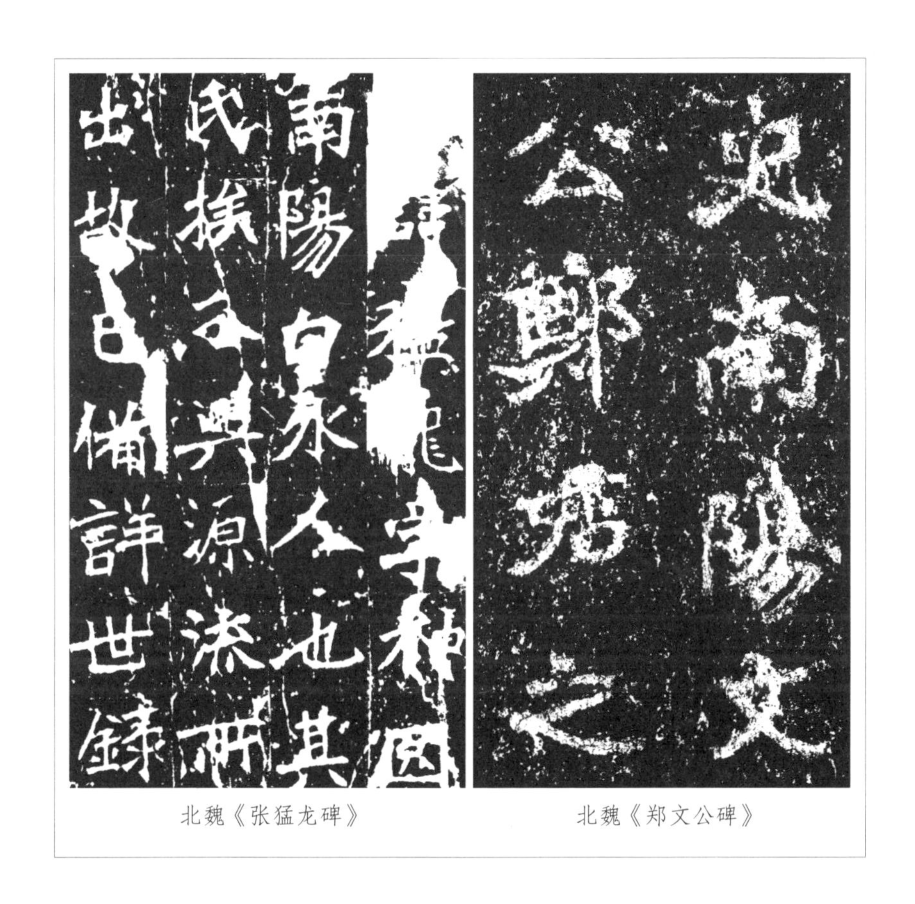

北魏《张猛龙碑》　　北魏《郑文公碑》

昔人言：书者如也，言书如各人之面目性情也。故学宗一家，而变成多体。唐四家学右军，何曾是虎贲中郎？或谓此是各得一体。我意孔子是孔子，颜渊是颜渊。

张猛龙其力在骨；郑文公其力在筋，是皆偏胜者。

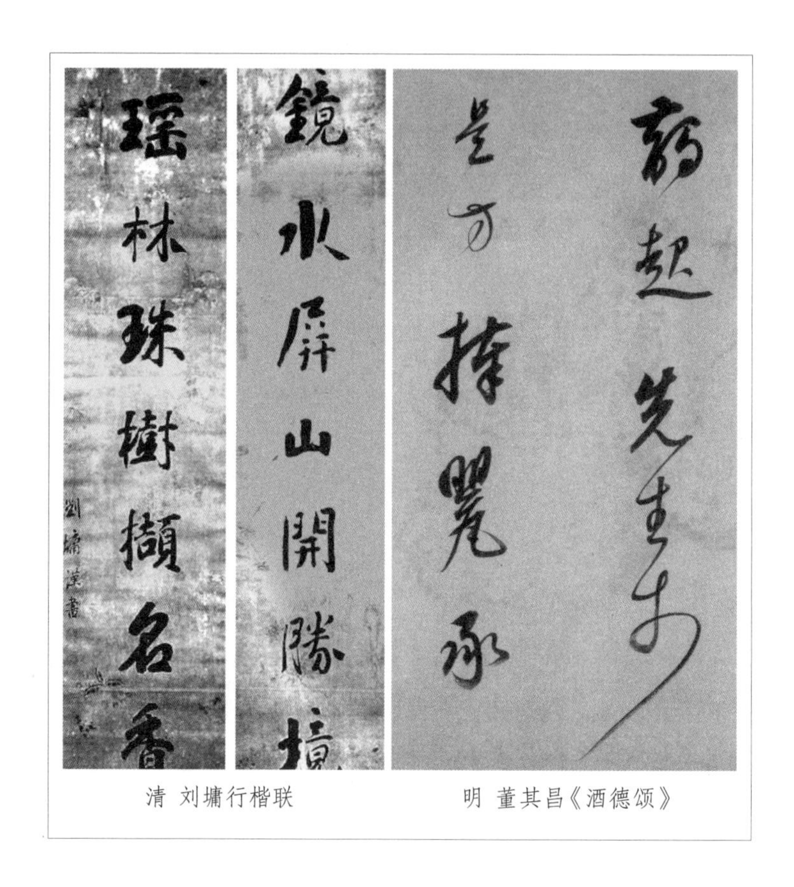

清 刘墉行楷联　　　明 董其昌《酒德颂》

艺术贵创造，此是不易语，然有时亦误尽天下苍生。近年出身之中西画人，多中此语之毒。盖此事全在大力者、大学者，非一般子弟均可与语上也。

文艺与师法、学力、识见、胸襟联系最密。大家与俗工，尤于后二者区之。

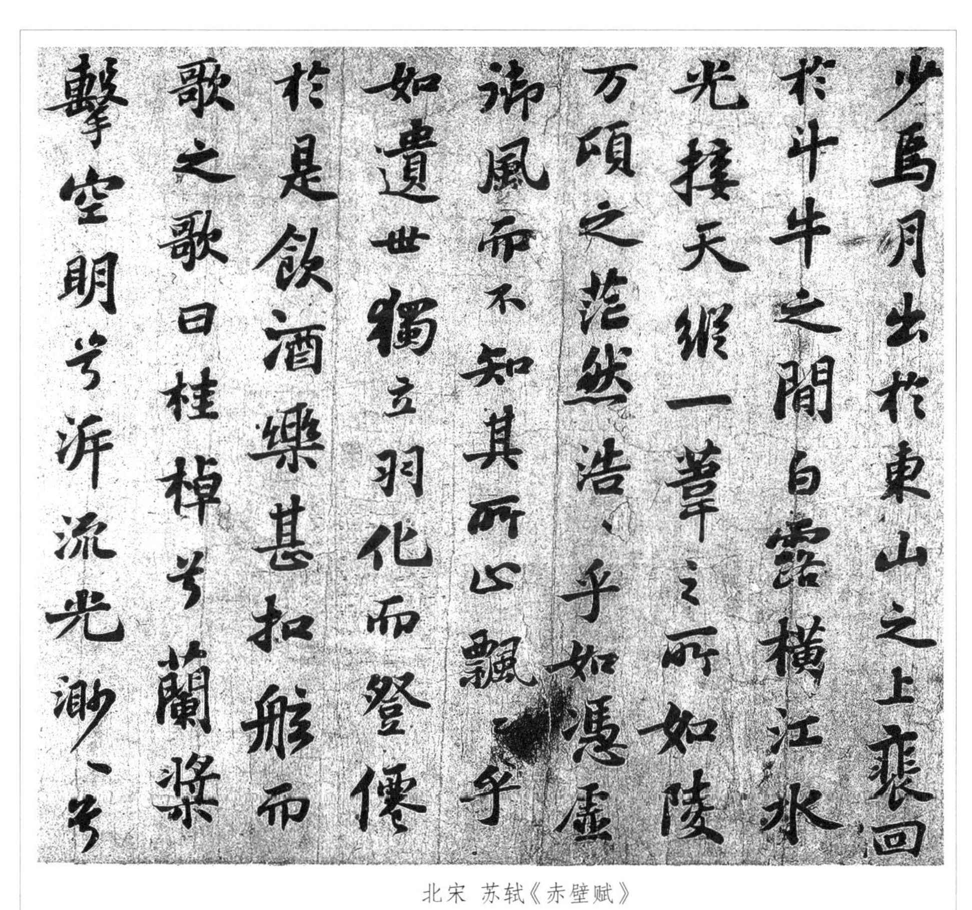
少焉月出於東山之上裴回
於斗牛之間白露橫江水
光接天縱一葦之所如陵
万頃之茫然浩、乎如憑虛
御風而不知其所止飄、乎
如遺世獨立羽化而登僊
於是飲酒樂甚扣舷而
歌之歌曰桂棹兮蘭槳
擊空明兮泝流光渺、兮

北宋 苏轼《赤壁赋》

董思翁善用淡墨，刘石庵善用浓墨。各人用墨，嗜好不同。然浓以不枯为归；淡以不浸渗为妙。刘虽号用浓墨，时见笔滞。宋时苏东坡又用墨，自谓“须湛湛如小儿目乃佳”，是亦善用较浓之墨者，其书时或见肥，然无一滞笔，自是用墨高手。

笔法墨法，有天资存乎其间。如俗所谓“聪明笔头”，言外之意便是学力不够。取材布局，正尚天资。于粗处见工，细处见力，小中见远大，大中见结密，然后有味。然正非天才与工力不办。

世俗做人贵圆通，遂少方人；作草无方骨，遂少佳草。

医家谓人之所嗜，往往即其体内所缺乏者。我谓学艺所师，即其个性所相近者。学书者每以选帖质人，其实此等事正是讨老婆。父母之命，媒妁之言，只可算旁人给你的一种参考。百年好合，总须自由恋爱。

看见一种帖就去学，等于初与一个女子接触就爱上，欲订白头之约。将来难保，其危险正同。

理直则气壮。作书笔有力则气自沉雄。沉雄两字极妙。但有力非火气之谓。夹杂火气，则不能沉雄而为伧俗。

做人巧，不取，此易知；作字巧，不取，此不易知。书之拙趣，尤少解人。

求筋力学周秦,求气韵学魏晋,求法则学唐人。

所谓筋,便是纫字意;所谓力,便是骨字意。锥画沙指骨;折钗股指筋。唐太宗云:“求其骨力而形势自生。”形势二字,与气韵相生。

前贤谓古人意在笔先,故能举止闲暇;后人意在笔后,故手忙脚乱。

《书谱·序》草书,唯一美中不足为过于信笔,同字少变。

不求速成,是不近功;不欲人道好,是不近名。仙童乐静,不见可欲,是学艺之不二法门。所以谓之为学求益,非善之善者也。

黄伯思之《东观余论》,姜尧章之《续书谱》,其言岂不精醇?然书法无大名,流传尤寡,信善鉴者不书耶?析古来书家,名在简册,书不传者多矣。余又尝谓书固当以人传,不当以书传。唐、宋诸贤,学术经济,彪炳千古,曾未以书名。今观其书,几无不精能。即今世俗所传代作者,其生时文章事业,亦俱卓卓。益叹世人专以区区一艺为高,末矣。

临池剩墨

作书力在内者王,力在外者霸。若过于鼓努为力,肆为雄强,则张脉贲兴,将如泼妇骂街，成何书道！

柳深于《十三行》，米深于《枯树赋》，消息似可见。

藏锋所以蓄气，用笔欲浑欲遒。其实藏锋便是中锋，《九势》所谓令笔心常在笔画

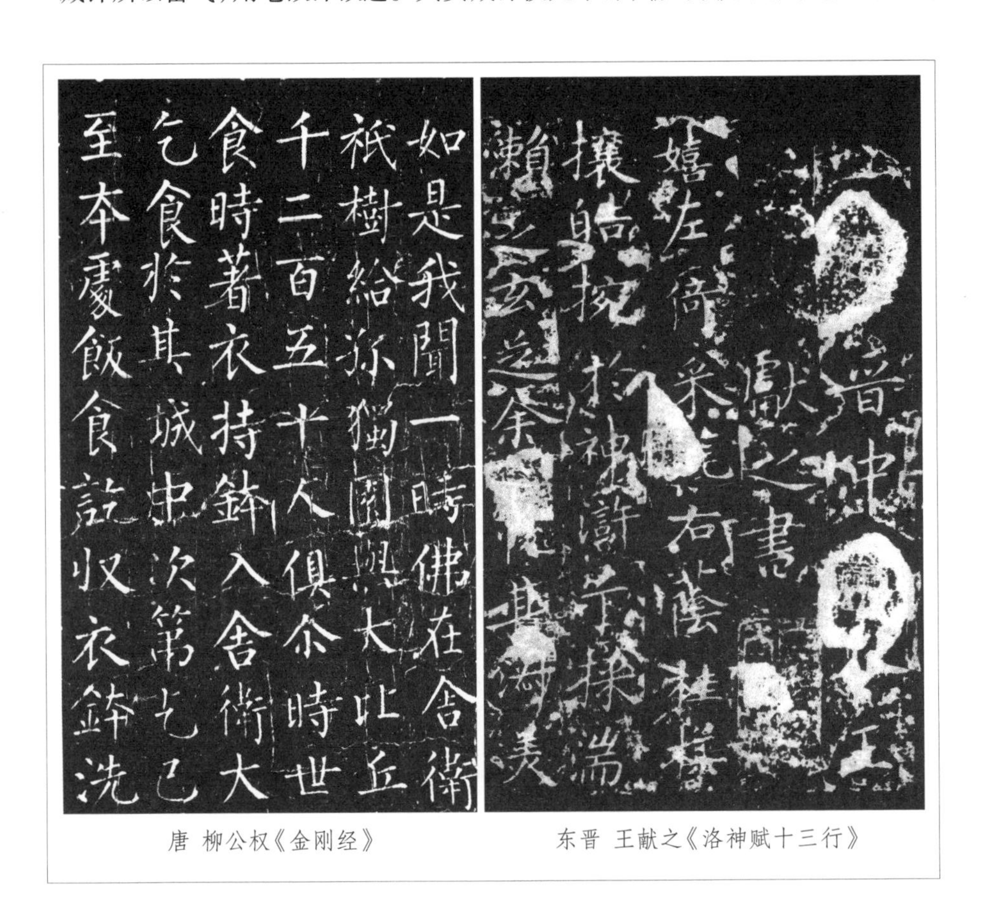

唐 柳公权《金刚经》　　东晋 王献之《洛神赋十三行》

中行者是也。后人所谓锥画沙、折钗股、如拆壁、屋漏痕，端若引绳者，故是一理。惟浑而能遒，则精神出矣。

孙虔礼云："察之者尚精，拟之者贵似。"此故是临习初步。盖临书，始欲像，终要不像；始要无我，终要有我；始欲能取，终要能舍！唐人无不学右军，宋人无不学鲁公，及其成也，各具面目。鲁公师河南，然鲁公绝非河南。正在其能翻一局，所谓智过其

宋 米芾《珊瑚帖》　　唐 褚遂良《枯树赋》

师，方名得髓也！东坡称书至于颜鲁公，正善其妙能变化。若钱南园之学颜，则正是僧皎然所谓钝贼者也。

或以偏锋解作侧锋，非也。侧锋之力，仍在画中。因势取妍，所以避直而失力。玩钟王帖，可悟此理；旭素草书，亦时有一二。

有一字的布白，有字与字之间的布白，有整行乃至整幅的布白，此即古人小九宫大九宫取义所在，亦即隔壁取势之说。合整幅为布白者，三代金文中多见之，《散氏盘》为著，《十三行》则后来媲美。然此正所谓同自然之妙，初非有心为之。否则如归、方评史记，直使人死于笔下！

金文之不合全章为章法者，其行法绝精。晋人书牍，行法似疏实密，学者留意于此，可以悟入。今人书牍无可观者，于此等处正复少用心。

作书分间布白，行法章法，魏晋人最妙，宋人尚多置意，明以来鲜究心，此实有关气味者。

观《爨宝子》，正不必惊其结体之奇，当悟其重心所在。字有重心，则虽险不危！

作书用笔，方圆并参，无一路用方，一路用圆者。方多用顿笔、翻笔；圆多用提笔、转笔。正书方而不圆，则无萧散容逸之致；行草圆而不方，则无凝整雄强之神。此相互为用，似二实一，似相反而相成者也。

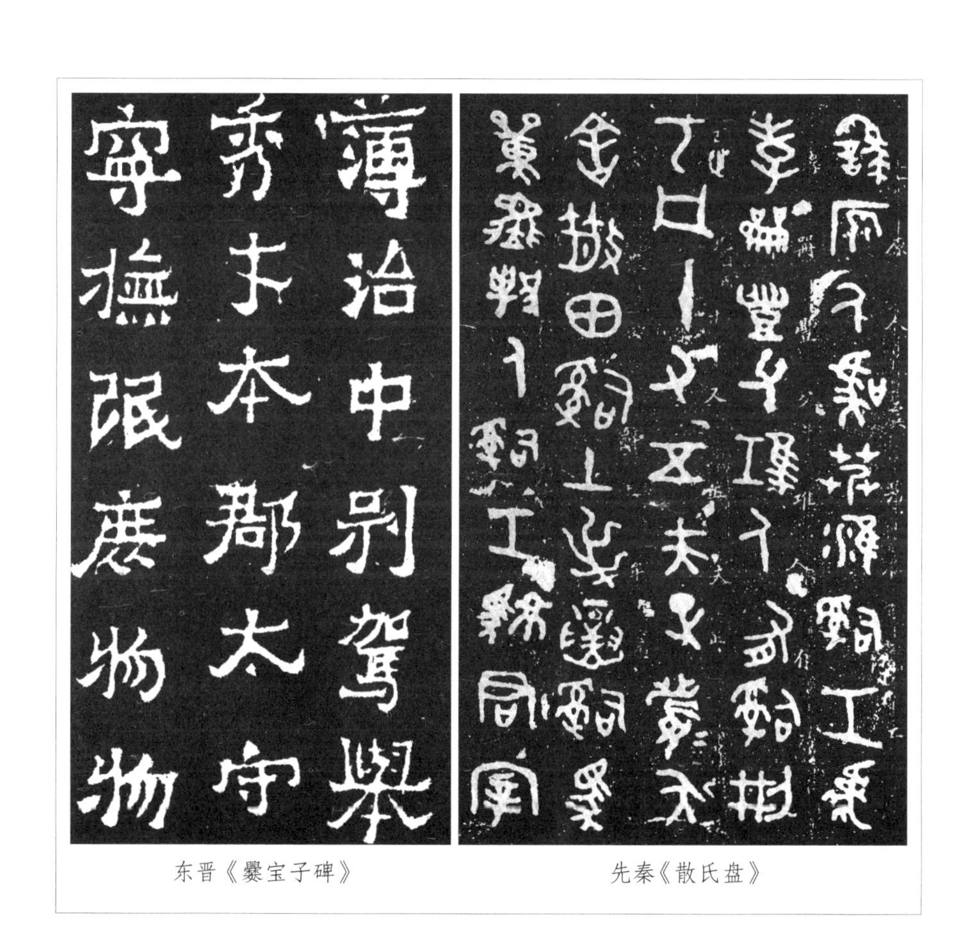

东晋《爨宝子碑》　　先秦《散氏盘》

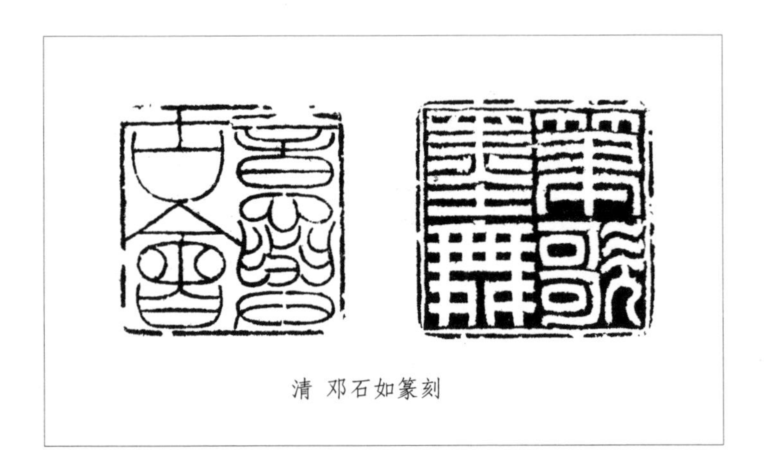

清 邓石如篆刻

用笔太露锋芒，则意不持重。不但意不持重，实是意尽势尽，则味亦尽矣！

唐以诗取士，故诗学蔚为一代文学特色；帝王能书者多，故书学亦特别发达。今人学书三年，动自命为书家，倘一观唐代不以书名者之尺牍，直宜愧死。

昔人有状王、张、颜、米诸家之书者云：“右军似龙，大令似蛟，张旭似蛇，鲁公似象，怀素似犀，南宫似虎，东坡似鹰，子昂似蝶，枝山似兔，香山似莺。”诚为妙思隽喻。

棋差一着，满盘皆输。似正说写兰，一笔不合，全纸皆废也。我意学王书亦正复如是。着一败笔，即觉从纸上跳出，直刺入眼。不似学六朝石工陶匠之字，三月便可欺人也。

邓完白篆刻自成一家，其书深于功力。篆书面目自具，虽古意不足，毕竟英雄能自树立；隶书入手太低，无一点汉人气息，比之钱梅溪略胜一筹而已。

包慎伯文章议论，远在其书法之上，然其好作玄论，故示神秘，最为可厌！其书中年由欧颜入手，转及苏董，志气已低。其后肆力北魏，晚年又专习二王。尝见其墨迹，小真书稍可观，草书用笔，一路翻滚，大是卖膏药好汉，表现花拳模样；康长素本是狂士，好作大言惊俗，其书颇似一根烂绳索。

云间随笔

作书要笔笔分得清，笔笔合得浑。分得清，然后见天骨开张；合得浑，然后见气密神完。

于转换处见留笔，能留笔即知腕力。“抽刀断水水更流”，则所谓端若引绳者矣！舞剑斗蛇，莫非此理。

侧笔取势，亦从合得浑来。风竹相迎相亚，忽迫忽避，是钟王得意外，是魏晋之韵。

古今来艺术家性气最傲，常自命为独绝而鄙薄他，其实各有成就，正何需此！大凡胸不能高旷，正于艺事有影响，不独其傲慢之取人厌而已！《宋史・刘忠肃》每诫子

清 包世臣楷书立轴　　清 康有为行书立轴

弟，有“一命为文人，便无足观”之叹。今人满面孔画家，真可丑恶！昔贤曾云：“终身让路，不失尺寸。”真有道之言。

“起不孤，伏不寡”，此蔡伯喈妙语。运笔结构，分间布白，一字如此，一行如此，全章如此，不然即断气矣！

为人孤独不得。家人中有一孤独者即觉别调，失一和字；作字有一笔孤独，有一字孤独，即为不入调。有一不入调，即断气失势也！

能发能收，自倒自起，此即通身是力之故。故道劲非怒，迟留非滞。

为人贵真，作字亦贵真。真者不做作，做作便不真，愈做作愈讨厌。所以讨厌，在形迹之外，尚有欺人思想也。宋政禅师曰：“字心画也，作意则不妙耳；故喜求儿童字，观其纯气。”儿童字，何可取？有何纯气？曰：真也。

笔有缓急，墨有润燥。缓则蓄，急成势；润取妍，燥见险。得笔得墨，而精神全出矣。

或问先生言气象，若班定远燕颔虎颈，羊欣婢作夫人非耶？曰：正是谓此。隆中决策，扪虱而谈，此气象正复伟岸闲逸。若村姑作态，浓抹胭脂，总是一股恶俗气；而朱粉不施，荆钗布裙，或愈见美人丰采。是以字匠绝不能入书家，犹东施之不能为西施也。

今人作草，随意用笔，任笔赋形，失误颠错，如过庭所谓；“当联者反继，当断者反续，不识向背，不知起止，不悟转换。”其实乃未知所以取法，而更眩为新奇也。

米南宫云：“随意落笔，皆自然备其古雅。”随意二字，正不易言！昔人谓：“谢安捻鼻，便有山泽间仪。”便有二字，亦正是自然。逸少东床坦腹，故别于诸子矜持耳。

学书有三阶段。昔年予尝言：学书始欲像，终欲不像；始欲无我，终欲有我。学者以予言简。适见黄彦和录《倪氏杂记》笔法一节，语有甘苦，与予意，今参酌而评言之；所谓像与无我，此初段工夫。所贵有宗主，宜立脚跟，专一习之，沉酣其中，务使笔笔相似，使人望而知其法乳。纵有谏我谤我，不为之动，是时或有一笔一画，屡为之而不能合辙，如触墙壁，全无入处，不可灰馁，仍当坚心猛志，勤功向前。相成之法，可取一种碑帖习几时，再返而之夙所奉为宗主者。至时将觉此际一番眼力，与前不同。而转阻转变，转变转入，转入转妙。米老自谓集古字，正是其工夫到处。至中段工夫，可泛涉心喜之各代或渊源相近之各家碑帖。其习时，诸家形型，时或引我而去，我又须步步回头顾祖，将诸家之长，点滴归源，庶几不为所诱。此正所谓涉以尽其变，有主以会其归也。终段工夫，我既有宗主，守定家法，又出入各家，如此写之不休，到熟极处，忽然悟门大开，层层透入，洞见古人精奥，我之笔底，迸出天机，变动挥洒。回视初时宗主，在不缚不脱之境，而我之面目出矣。

凡艺事初事学习，如食物然，先入口，能受也。及沉浸其中，酊酩有味，则入胃肠，贵能消化也。能消化谓吸取物之精华，为我身之益。我未见多食猪肉而成猪腔，亦未见多食牛肉而成牛精也！

延祐五年，吴郡沈右为彦清题怀素《鱼肉帖》云：“怀素书所以妙者，虽率意颠逸，千变万化，终不离魏晋法度故也。后作草皆随俗缴绕，不合古法，不识者以为奇，不满识者一笑！”此是见道之言。东坡题王逸少帖诗云：“颠张醉素两秃翁，追逐世好称书工，何曾梦见王与钟，妄自粉饰欺盲聋，有如市倡抹青红，妖歌曼舞眩儿童。谢家夫人谈丰客，萧然自有林下风，天门荡荡惊跳龙，出林飞鸟一扫空。为君草书续其终，待我他日不匆匆。”嬉笑怒骂，故是当行快语！学者于龙、空、匆三韵宜深体味。今世人作草，个个芦茅草团，如言满眼藤蔓，或春蚓秋蛇，尚觉非是耳。

执高腕灵，掌虚指活，笔有轻重，力无不均。

学章草由篆隶沙简入，学散草由楷行入。此两途，未可别立异说也。然学钟王楷行，自欧虞入，故是一路。而中间过程，禊帖与《圣教序》，则必须致力者要在终能换去面目。否则学之者多，见之过稔，便贻讥俗书耳。

草书不从晋人入，终无是处。

草书大别为章草、散草、连绵草三种。而章草实为我国早期之简体字。晋人草书书法，字多个别，而气脉贯注。其字迹相连者，不过二三字，所谓散草也。前人因欲别于章草，亦称今草。旭素而后，盛行连绵草，而草法遂坏。世誉草书之美，每曰“铁画银钩”，余谓此四字正见匠气，非所以知晋人草法，差是形容其熟练有骨力耳。

余于书不薄颜柳，而心实不喜。论其楷则以颜有俗气，柳有匠气。米南宫云：“颜

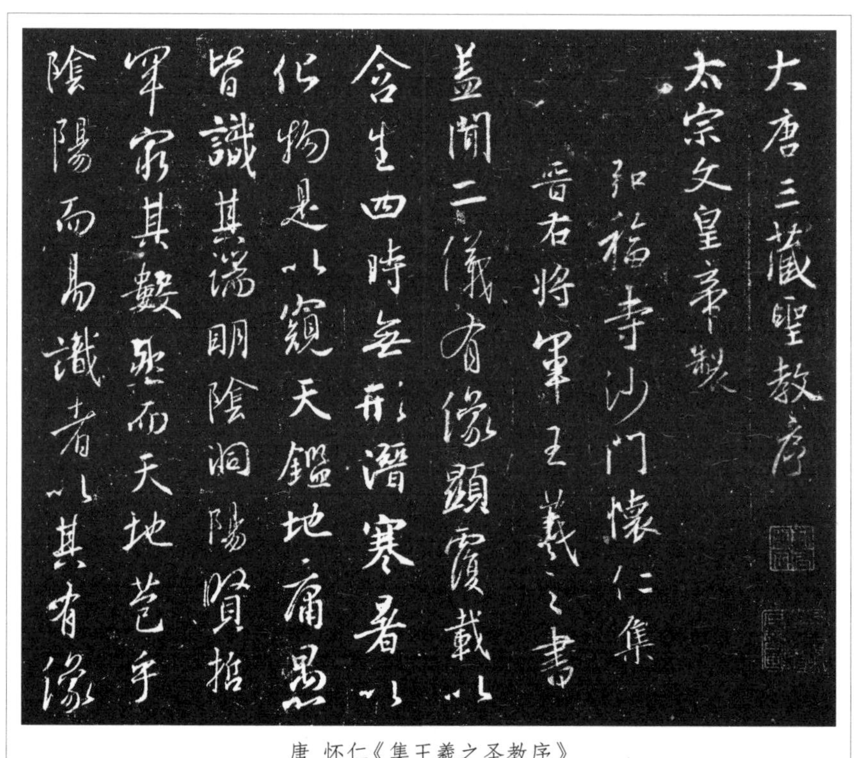
大唐三藏聖教序
太宗文皇帝製
弘福寺沙門懷仁集
晋右將軍王羲之書
蓋聞二儀有像顯覆載以
含生四時無形潛寒暑以
化物是以窺天鑑地庸愚
皆識其端明陰洞陽賢哲
罕窮其數然而天地苞乎
陰陽而易識者以其有像

唐 怀仁《集王羲之圣教序》

柳挑踢，为后世丑怪恶札之祖，从此古法荡然无遗矣！”实非过语。然颜柳书佳者，如《三表》、《争座位》、《祭侄稿》、《鲍明远》、《马病》、《鹿脯帖》，实襄阳所师。余尝谓颜书正楷大字，除雍容、阔大、严肃，有廊庙气象而外，别无好处。《多宝塔》为举子干禄所法，原属梁隋人一路写经体。行书如《三表》诸帖，其甜使人爱，实亦容易误人。至何子贞书《金陵十二咏诗》，必圈令如《争座帖》、《祭侄稿》，亦可哂矣。

余早岁临池，夙以之自负。遇得意，自钤“晋唐以后无此作”印，狂态可掬。然迄今未敢以此席让人。

摹得形质，临在形质与情性，看、背则情性兼形质。

凡为艺，一矜持便是过。矜持虽非做作之谓，然已不复见真精神流露矣！我非不喜穿新衣服，但穿之身上，处处令我不便，因有惜物之心存也。必如宋元君解衣盘礴，庖丁不见全牛乃可。若名笔在手，佳纸当前，略存谨慎，便尔矜持，遂损天机矣！

黄鲁直云：“书欲拙多于巧。近世少年作字，如新妇之妆梳。百种点缀，终无烈妇态也！”余谓近世书人，亦多巧匠。作篆隶无一笔入古，正坐此病。学帖尤忌如新妇妆梳。赵董二文敏作书，欲直接晋人，其心何尝不雄，其行楷何尝不词不美。但赵固似娼妓，董亦无烈妇态。固知其品性不同，而就而言，亦缺深沉也。

书学上有碑帖之分。然世俗初学，必由碑入，此于理正自暗合，转而入帖，乃见成功。我尝谓在历史上言，帖为碑之进步；在学书上言，碑是帖之根基。未可如安吴、南海一辈，有奴主之见，好奇之谈。若言碑帖大别，有可得而言者：碑沉着端厚，重点画，气象宏肆；帖稳秀清洁，观使转，气象萧散不群也。萧散二字，最好解释，正是坦腹东床，别于诸子矜持。

学帖大弊，在务为侧媚。侧媚成习，所以书道式微也。我国书法，衰于董赵，坏于馆阁，所谓忸怩局促，无地自容。陆梦云云："处女为人作媒，能不语止羞涩。"此所以诫学者取法赵董为下也。项穆言："书有三戒：初学分布，戒不均与欹；继知规矩，戒不活与滞；终能纯熟，戒狂怪。"数语甚简要。科举功名，影响于书道，病在太均。故明人小楷，精而无逸韵。

唐隶之不可学，亦是太均。右军云："平直相似，状如算子，上下方整，前后齐平，便不是书，但得点画耳。"故要在点画以外，自有气势体息。至唐人草书，不可为训，则以流于狂怪也。

唐人无不学右军。欧、虞、褚、薛四家，称各得圣人之一体，然颜柳二家，实自成一大宗派。至宋人学书，几又无人不学平原者。东坡云："书至于颜鲁公"是极推重语。然其书黄子思诗集后云："余尝论书，以为钟王之迹，萧散简远，妙在笔画之外。至唐颜柳，始集古今笔法而尽发之，极书之变，天下翕然以为宗师，而钟王之法益微。"亦有微辞。米襄阳祖王而宗颜，于颜所得实夥。然其言"颜柳跳踢，为后世丑怪恶札之祖，从此古法荡然无遗矣"云云，其于恶习，亦可谓力诋矣！大概颜有俗气，柳有匠气，学者不可不知。

司空图论诗曰:“梅止于酸,盐止于咸,饮食不可无盐梅,而其美常在咸酸之外。”书法何尝不如此。譬如画止于平,竖止于直,同此笔画,同此几字,而李四张三,写成不同,王五赵六,亦复异趣。所系人各有性情胸襟,调味手亦自不侔耳。

学者有志于书,初步学楷,每苦不能入,渐欲灰心;略有得,又苦不能入,又欲灰心,此仅第一二阶段耳。过来人都能相视而笑,初非足患。递取一二月来所习,前后对比,自知之矣。“明道若昧,进道若退”,正此之谓。唯有一种人,无论何种碑帖,一学即肖,一肖便谓天下无难事。学既杂,离帖仍是自家体路,因复自弃。聪明自用,方是危险!

我所言者都是大法,或是经验。学者求师实际,止在老马识途一点。至于功力,是在求己。昔颜平原从张长史指授,长史但云“多练习,归自求之”而已。俗有妙语:“夜半摸得枕头何曾靠眼。”还不是与孟子说“自得之,则资之深。资之深,则取之左右逢源”同一机括。相传古人传授笔法,似乎极难,或且至之神话,无非要学者专诚之至。得之难则视之珍,庶几可成功也。

客去录

赵松雪书,天资不足,功力甚深,其秀媚最悦俗眼。商贾笔札之美,求小成者趋之。

松雪功力,见于其楷。然千篇一律,万字一同,正董思翁抉其受病处在“守法不变”。世传《兰亭十三跋》、《天冠山诗》等,为其行书之最脍炙人口者,奈逸韵骨气,终不可强钟书点画。

元 赵孟頫《兰亭十三跋》

余谓书法之功，尤贵乎力，惟其力乃如太极拳。外道以为全不用力，不知其中浑身是力，功夫在内。

稳非欲，险非怪，老非枯，润非肥。审得此意决非凡手。

书言八法，始自唐人；论书入于魔道亦自唐人，而宋承其风。然宋人已自非之。如黄鲁直云：“承学之人，用《兰亭》永字，以开字中眼目，能使学家拘忌，成一种俗气。”

包慎伯好为玄论，终身不懂笔法，观其议论与书法可知也。其“述书”中征论笔法，张三李四，王五赵六，七张八嘴，全无主意。其所闻道之各家，看来全似野狐禅；其自诩悟得处，亦属莫名其妙。

时下所谓“太史公”字，非书家，不足论，然卷子字着实下过工夫，亦偶可称善书者耳。

各异，右军万字不同。盖物情不齐，变化无穷，原为天理，岂盘旋笔札间，区区求相貌之合者乎！此学魏书者宜知，而松雪不知也。

“杀（殺）一字甚安”一语，出《晋书》卫瓘传。杀字作一字之结构布置讲。包安吴论书，每喜用之。于此颇忆一笑话，宋代沈括论书云：“凡字有两字三四字合为一字者，须字字可折；若笔画多寡相近者，须令大小均停。所谓笔画相近，如杀字乃四字合为一，当使“乂木几又”四者大小皆匀。”此必为读卫瓘传不得其解，乃为穿凿之说，已甚可笑，至复论一未字云：“如未字乃二字合，当使土与小者大小长短皆均。”是不通小学，横将字体腰斩。天下第一笨伯，偏要做聪明人。想当时闻者，必有作掩口葫芦者矣。

书法之递变，全属时代自然之趋势。故篆不得不变为隶，隶不得不变为章草、今草及楷行。前人有“小篆兴而古意失，楷法备而古意离”之叹，是在求古之言则然。

隶分一路，近代推郑太夷，并世则钱瘦铁独美。瘦铁不以书名，而其隶分古拙劲健，一时无两，其余诸子几无一笔入汉。偶见梁庾元威讥时人书云：“浓头纤尾，断腰顿足，一八相似，十小不分。”正说着今人之病，为之失笑。

右军草书小真书，不必言矣。其楷之灵和，与大令草行之神骏，俱为绝诣。今人仍有拾包、康一辈牙慧，以为帖俱是伪而不足学者，既自被欺，更欲欺人，正坐不学。

楷书与行草，魏晋人最高，而钟王为代表。学之者须天分、学力、识力并茂，而胸襟尤有关系。且学钟王字无从讨好而容易见病，因此急功者都不肯学，亦不敢学。

白蕉书法欣赏

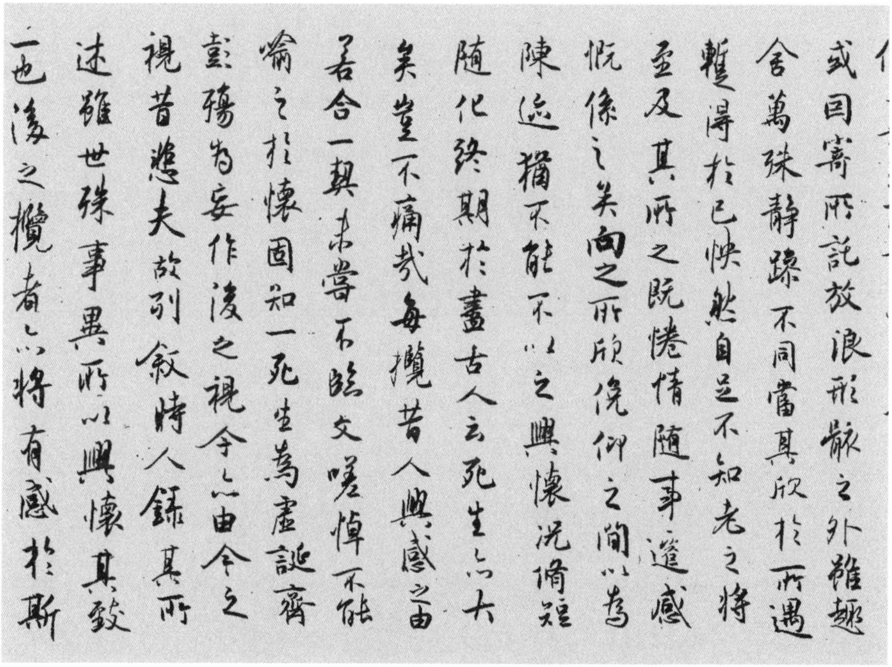

行书《临兰亭序》(局部)

此作侧锋取势犹如风竹相迎相亚，笔笔折得开，笔笔合得浑。虽与习见《兰亭》墨迹本之行款不类，然其天骨开张，气密神完，得董其昌“妙在能合，神在能离”之旨趣。

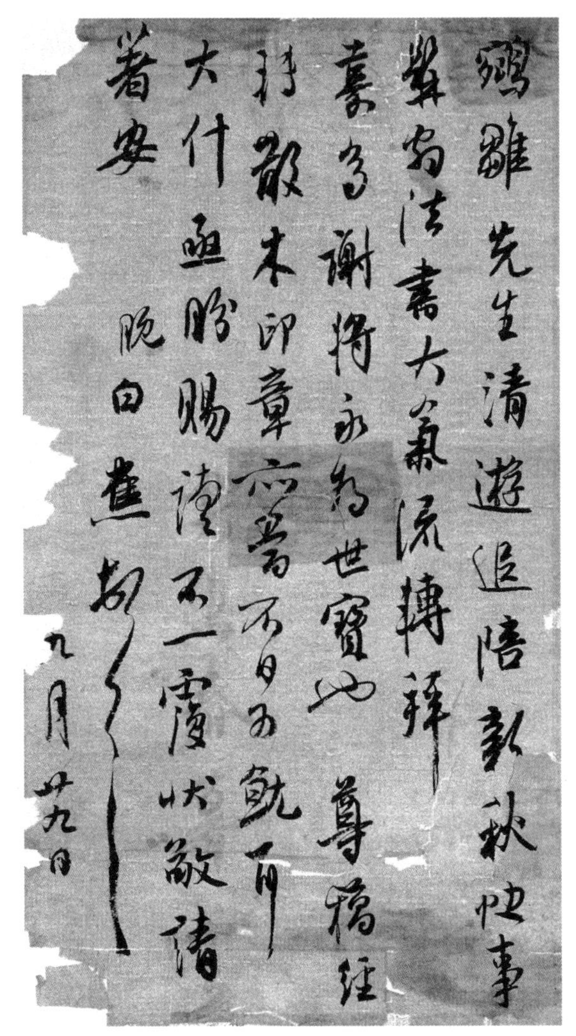

鹓雏先生清游追陪，新秋快事，并蒙法书大气流转，拜嘉多谢，将永为世宝也。尊稿经诗、散木印章，亦当不日可观耳。大作亟盼赐读，不一一。覆此敬请著安。晚白蕉顿首 九月廿九日

《与鹓雏先生札》

此作稳秀清洁，甚得右军笔髓，如“追”见于《丧乱》，“书”见于《孔侍中》，“散”见于《得示》，“多”、“尊”、“安”见于《修载》三帖……信手拈来，头头是道，而又妙在挥洒变动，一派天机。

行书《莫恣闲征七言联》

此联大字，以势为主。

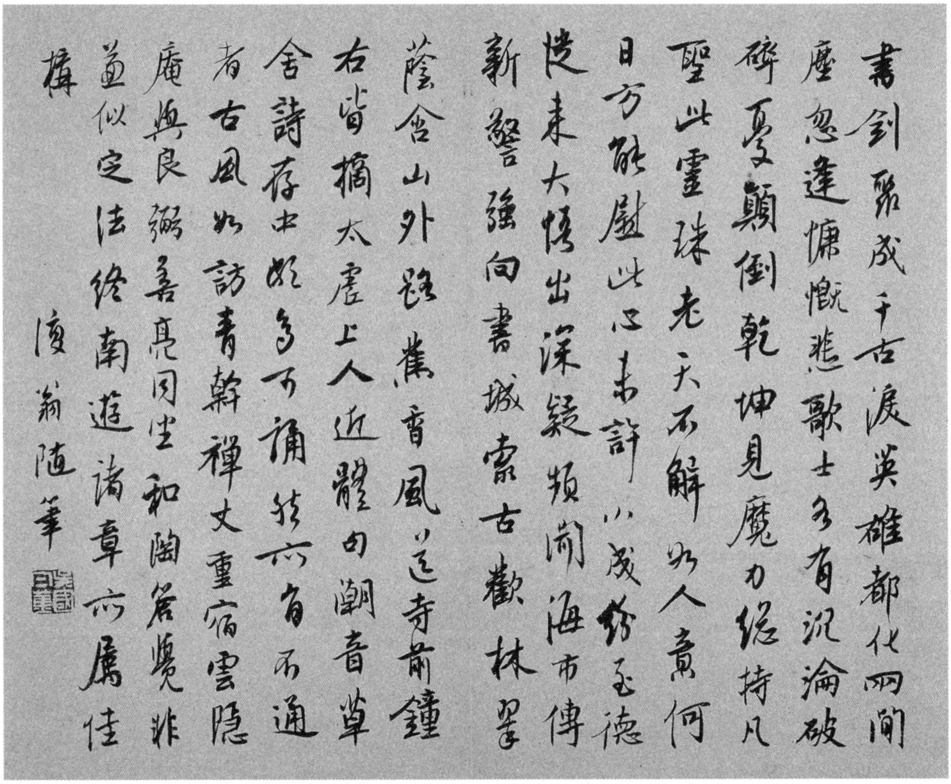

行书册页（选一）

此页真行相生，萧散从容，风神蕴藉处有魏晋书韵，布局得《兰亭》法，可谓貌去神连。

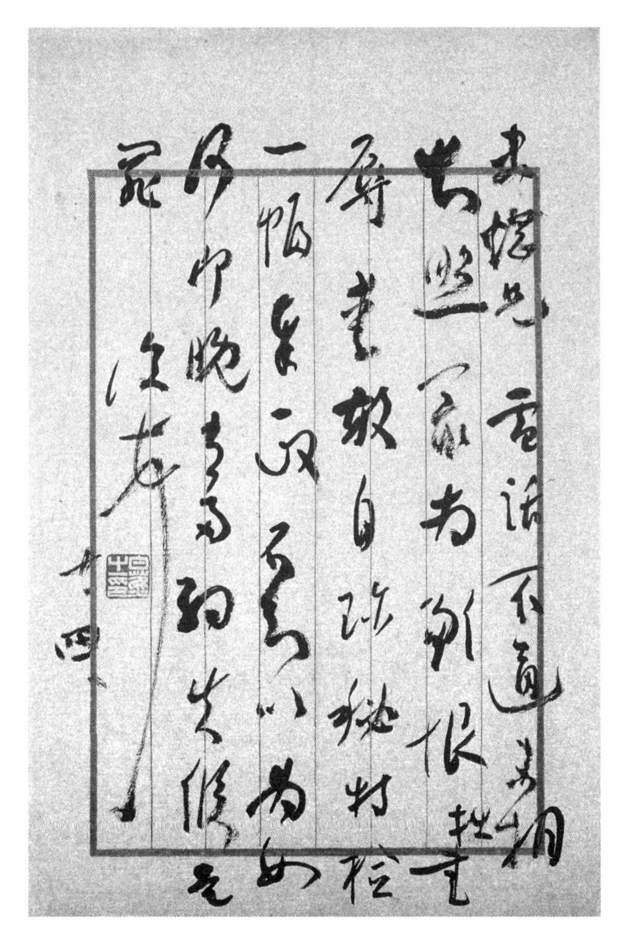

《与史㶉兄札》

此笺节奏明快，笔短意长，字势圆润若飞珠溅玉，墨色浓郁间有停僮葱翠之气，正所谓“同自然之妙有，非力运之能成”者也。

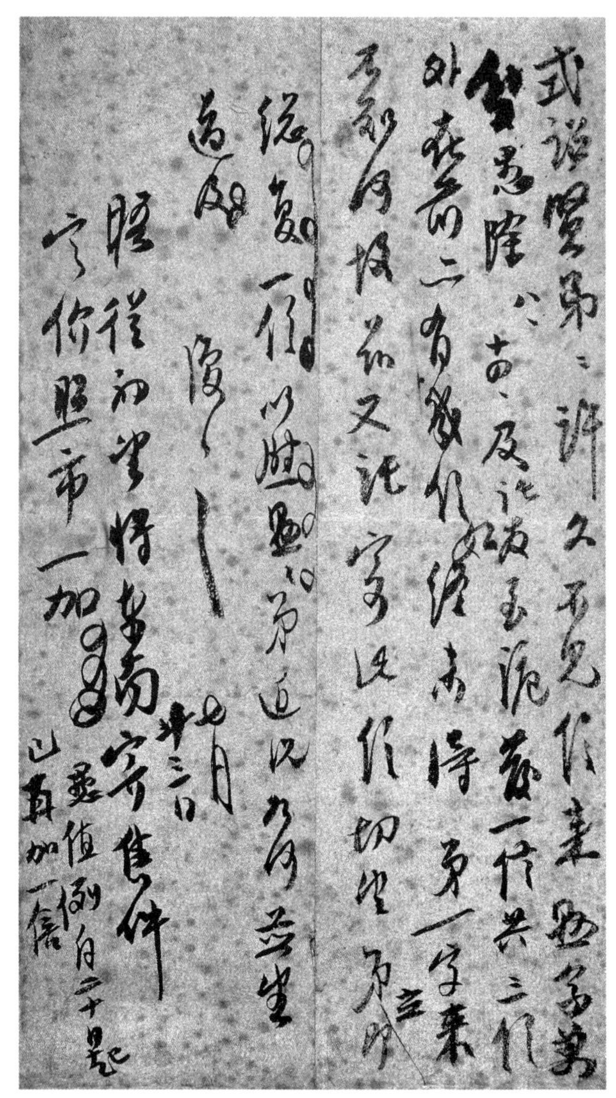

《与式诏贤弟札》

此札不甚经意，信笔草草，势若抽刀断水，亦灼灼其华。

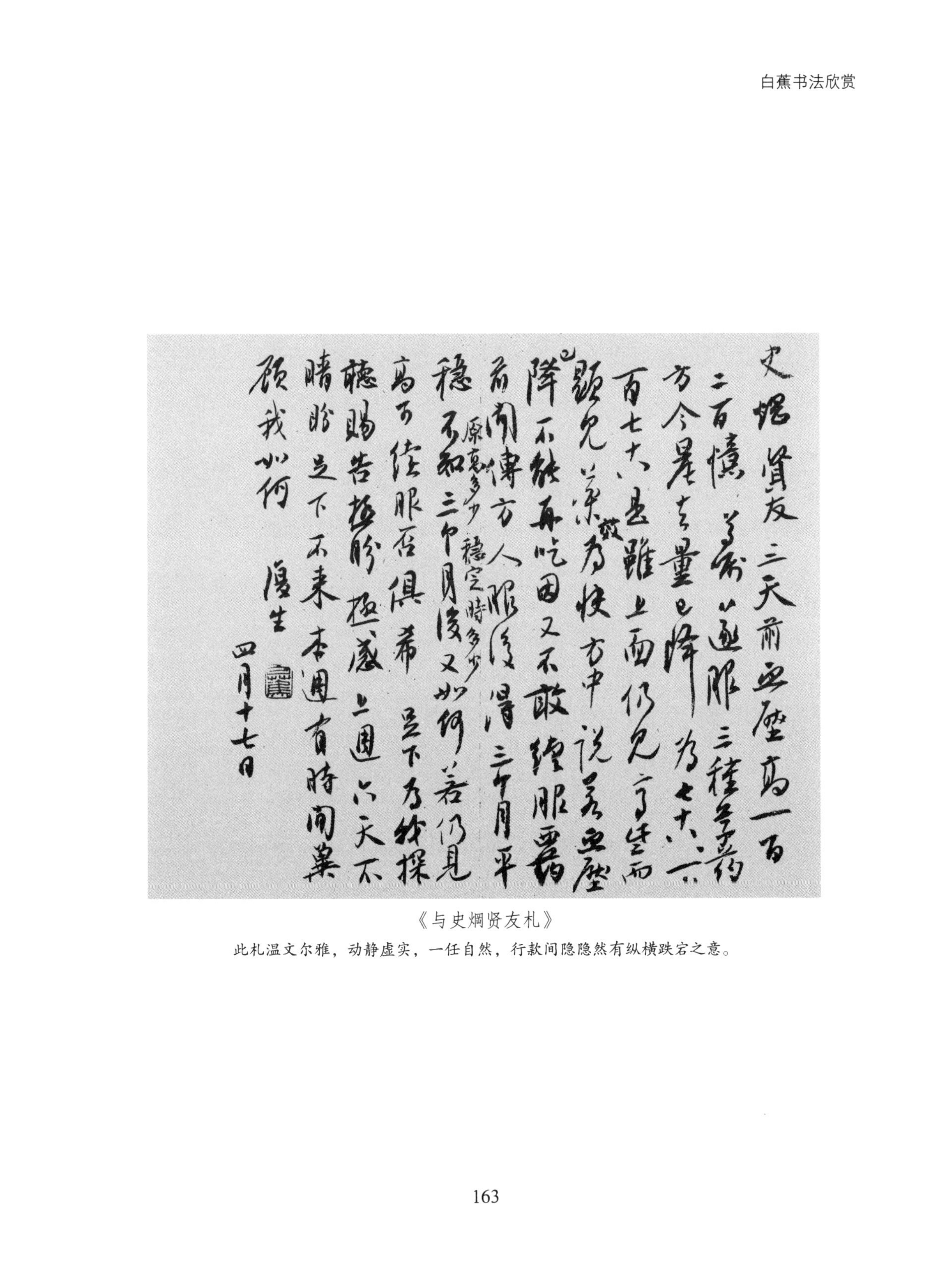

《与史烱贤友札》

此札温文尔雅，动静虚实，一任自然，行款间隐隐然有纵横跌宕之意。

《与六科吾兄札》

此札字字玑珠，俊逸超脱，愈看愈佳，如嚼橄榄，舌有回甘。

梁武帝好二王書搜訪所獲凡七十八帙七百六十七卷一萬五千紙並珊瑚軸織成帙金題玉躞又示聖朱
魏師襲荊州城陷元帝夜聚古今圖書十四萬卷並大小二王遺跡後閣舍人高善寶焚之此一厄也唐太宗
貞觀十三年勅購右軍書四萬妙跡靡不畢至得真書五十紙裝為一帙，卷隨本長短為度學行書二百四十紙四帙
四十卷四尺為度草書二千紙為八帙八十卷以一丈二尺為度並金縷雜寶裝軸織成帙安史之亂棄之如土乾元
三年張懷瓘記天府所有右軍真書不滿十紙行書數十紙草書數百紙共二百十八卷小王四十卷並褫旃檀軸錦標而已此
二厄也宋太宗命王著摹刻淳化閣帖十卷二王書居其半徽宗即位酷意訪求天下法書圖畫宣和五年
蔡絛嘗得見其目善唐人用硬黃臨二王帖至三千八百餘幅宣和書譜御府所藏右軍真蹟二百四十有三大令
八十有九靖康之難都邑傾覆文物制作悉入金營此三厄也三厄而後存者蓋鮮
筆之得體以骨墨之得體以肉字之得體以間架行之得體以筏章之得體以面筆以骨為體而力為用墨以肉為體而神為用字以間架為體而勢
為用行以綫為體而氣為用章以面為體而顧盼呼吸為用靜者體動者用靜生法動生意實為體虛為用實為虛體
虛為實用體靜而用動實處而虛行
用非自見假物以見無形者求有形風藉草以見勢電貫鶴以流明有形者求無形筆駕勢而氣砥墨託采以韻
成夫虛靈似智涵泳歸仁縱橫云勇峻勵則見險舒和以明易熟中求生識有生之熟法外求法知無法
之法故自倒而自起者任力而勢圓也人定而地旋者車動而月移也

行书册页（选一）

此页杂书，取径钟王。笔法高妙，结字有拙趣。能洞见魏晋精奥，在楷隶行二书体间悠游转换，举止闲适，风规自远，入不缚不脱之境。

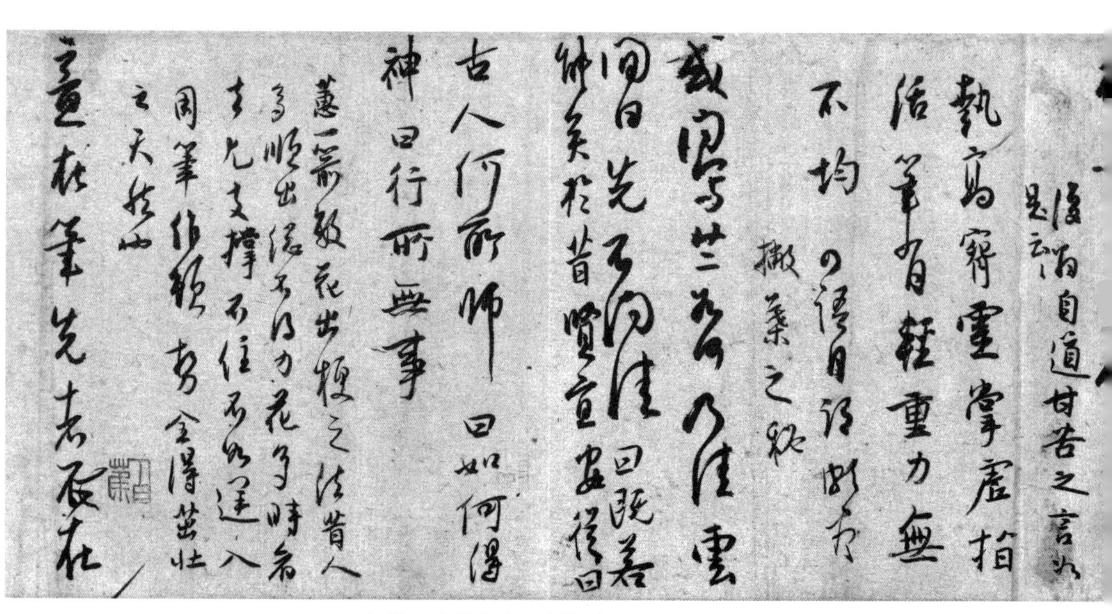

行草《兰题杂存》(局部)

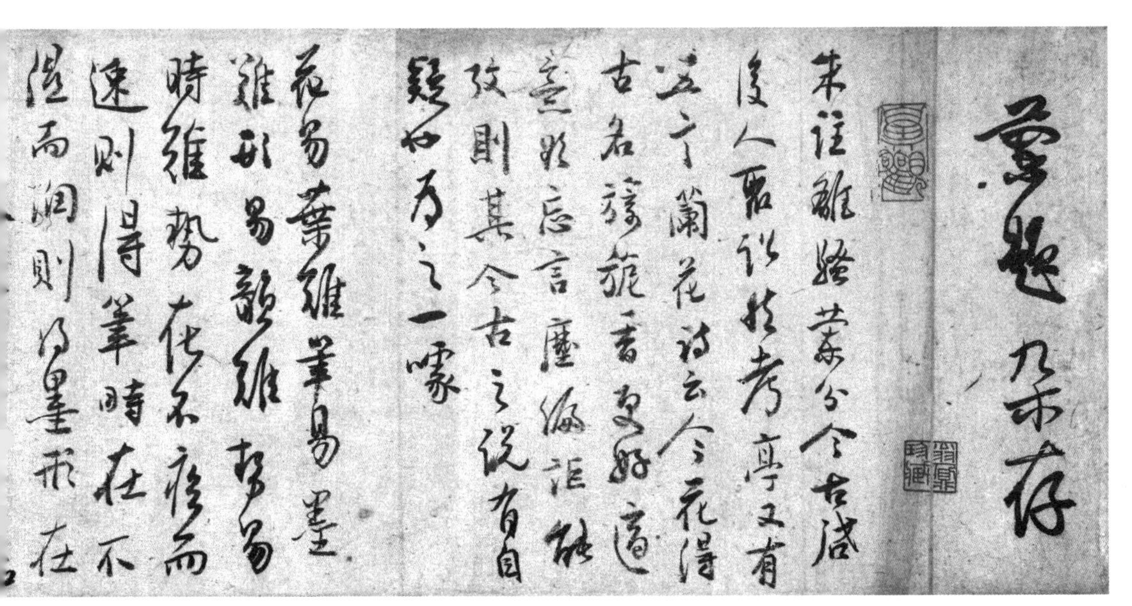

晚年杰作，世传数卷。其中“书赠沈愚钟”卷本后沙孟海尝跋云：“白蕉先生题兰杂稿长卷，行草相间，寝馈山阴，深见功夫。造次颠沛，驰不失范。三百年来能为此者，寥寥数人。”

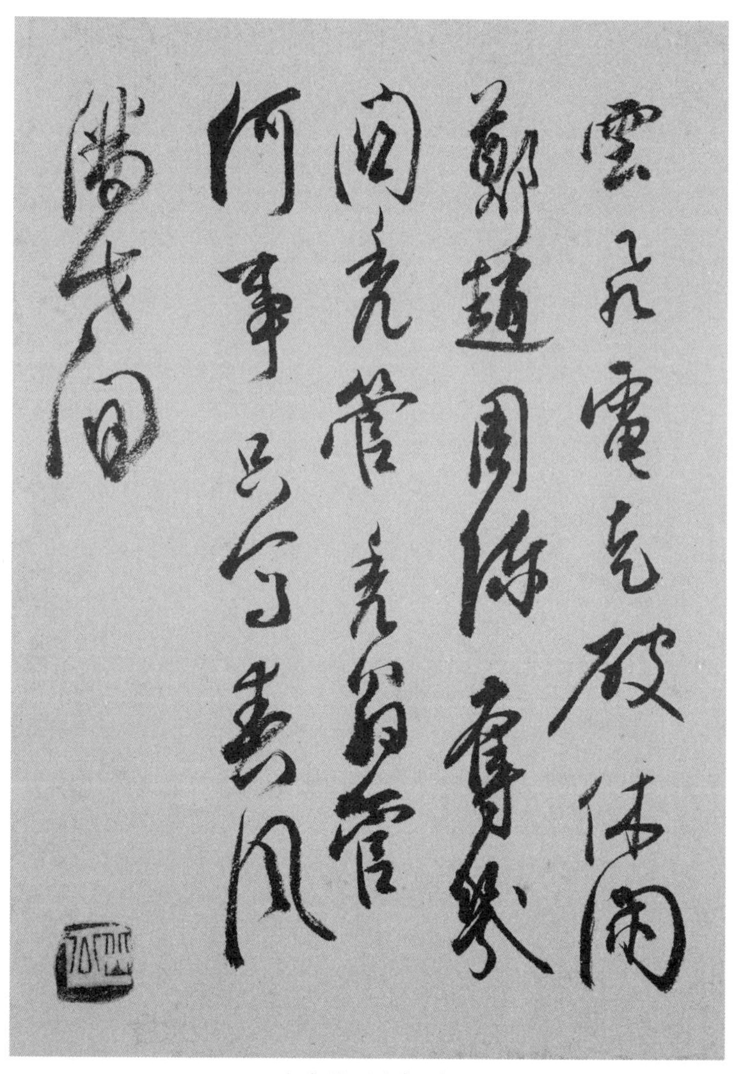

行书册页（选一）

此页笔有力而气沉雄，稳、险、老、润，无一滞笔。

图书在版编目(CIP)数据
白蕉讲授书法 / 王家新编选导读. -- 上海 : 上海
书画出版社，2013.8
（大师私淑坊）
ISBN 978-7-5479-0646-0
Ⅰ. ①白… Ⅱ. ①王… Ⅲ. ①汉字－书法 Ⅳ.
①J292.1
中国版本图书馆CIP数据核字(2013)第178055号

大师私淑坊

白蕉讲授书法

王家新　编选　导读

责任编辑　吴云峰　王　剑　朱艳萍
审　　读　沈培方
责任校对　周倩芸
封面设计　品悦文化
技术编辑　钱勤毅

出版发行　上海世纪出版集团
　　　　　上海书画出版社
地址　上海市闵行区号景路159弄A座4楼
邮政编码　201101
网址　www.shshuhua.com
E-mail　shcpph@163.com
印刷　上海展强印刷有限公司
经销　各地新华书店
开本　720×1000　1/16
印张　12
版次　2013年8月第1版　2023年1月第7次印刷

书号　ISBN 978-7-5479-0646-0
定价　38.00元

若有印刷、装订质量问题，请与承印厂联系 电话：021-66366565